▲ 在海南岛（1997 年）

▲ 在温榆斋中写作（2004 年）

2009 年秋天留影

▲ 刘心武散文随笔集书影

刘心武文存28

[1958—2010]

散文随笔 第六卷

你哼的什么歌

刘心武◎著

江苏人民出版社

图书在版编目(CIP)数据

你哼的什么歌／刘心武著. —南京：江苏人民出
版社，2012.11
（刘心武文存；28．散文随笔；6）
ISBN 978-7-214-08463-7

Ⅰ.①你… Ⅱ.①刘… Ⅲ.①随笔-作品集-中国-
当代 Ⅳ.①I267.1

中国版本图书馆CIP数据核字(2012)第143709号

书　　　名	你哼的什么歌
著　　　者	刘心武
责 任 编 辑	刘 焱
统 筹 编 辑	李 丹
特 约 编 辑	朱 鸿
文 字 校 对	陈晓丹 郭慧红
装 帧 设 计	门乃婷工作室
出 版 发 行	凤凰出版传媒股份有限公司
	江苏人民出版社
出版社地址	南京湖南路1号A楼　邮编：210009
出版社网址	http://www.book-wind.com
经　　　销	凤凰出版传媒股份有限公司
印　　　刷	三河市金元印装有限公司
开　　　本	700毫米×1000毫米　1/16
印　　　张	16.5
字　　　数	384千字
彩　　　插	4
版　　　次	2012年11月第1版　2012年11月第1次印刷
标 准 书 号	ISBN 978-7-214-08463-7
定　　　价	46.00元

（江苏人民出版社图书凡印装错误可向本社调换）

《刘心武文存》出版说明

　　《刘心武文存》收录刘心武自 1958 年 16 岁至 2010 年 68 岁公开发表的文字约 900 万字。《文存》共 40 卷，按文章门类收录，计有长篇小说 5 卷、中篇小说 4 卷、短篇小说 5 卷、小小说 1 卷、儿童文学 1 卷、建筑评论 2 卷、《红楼梦》研究 4 卷、散文随笔 11 卷、杂文 1 卷、海外游记 1 卷、多品种（图文交融文本、报告文学、诗歌、剧本、足球评论、译述）1 卷、创作谈 1 卷、理论批评 1 卷、早期（1958 年至 1976 年）作品 1 卷、自述 1 卷。因跨越时间达半个世纪以上，收录定有遗漏，但其此期间的主要作品，相信均已收入。

　　《刘心武文存》各卷均附有《刘心武文学活动大事记》及《刘心武著作书目》，可备检索。

　　编辑出版《刘心武文存》的目的，意在供各方面人士阅读欣赏、分析研究、批评批判、收藏保存。

刘心武文存

28

——

目录

你哼的什么歌

在不知不觉之中，会轻声地哼唱。

在上下班的路上，骑自行车穿过大街小巷时；离家旅行，坐在火车靠窗的座位上，懒懒地浏览着并无特色的风景时；闲暇中漫步在公园或居住区绿地的小径上时；在家中独自倚在阳台栏杆上，乃至独自坐在沙发上出神时……从我们的心井深处，便会旋出缕缕歌丝。有时不是歌，而是无词的乐曲。当我们陷于此种哼唱的境界，我们有时自己也没有觉察出自己在歌吟，尤其不能清醒心底所泛出的是些以什么符号命名的旋律……

倘在我们不知不觉地哼唱时，突然有一只麦克风伸来，把我们的哼唱声放大成响亮的"回环立体声"，我们会怎么样？

会惊耸地定在那里，刹那间如一尊石像吗？会立刻噤声，如风中寒蝉吗？会哑然失笑，如面对自己穿开裆裤的照片吗？会羞赧地红云盖脸，悔恨于被人听见了吗？……

而最小的可能性，是全然无所谓，面不改色心不跳。

因为不自觉地哼唱，最泄露人心底的秘密。

中、老年人所哼唱的，往往是十几年乃至几十年前曾醉心一时的曲目，那里面蕴含着他或她个体生命的许多情感经历，爱与恨、得与失、荣与辱、梦与幻……就是刚过不惑之年的一代，他们不自觉的哼唱里，也必定浓缩着各自的心路历程。

"文革"中，在"五七干校"，一天的大田劳作完毕后，排队唱"语录歌"而归，到各班组分岔而散、接近住屋时，一位"五七"战士却在放松中不经意地哼唱起了《莫斯科郊外的晚上》，其实只是极轻微的游丝般的低吟，却突然有一只手拍到他的肩上，他惊耸地扭头，却是班长，满脸"人赃俱获"与"放你一马"相交叠的表情："你怎么就是戒不掉封、资、修？！"至今这位昔日的"五七"战士想起那一刹那的情景，心头依然五味俱全……

一位在外资企业的写字楼中当白领的女士，其人应该说已"全盘西化"，俨然一位"摩登佳女"，可是她对我说，如今每当她听到《让我们荡起双桨》《我们的田野》这两首已经有好几十岁的歌曲，那其实是很单纯很规矩的旋律词句响起，她就总还是有一种莫可名状的异样情绪荡漾于心头，而她在无意中哼唱的曲调，偶尔也还会是这两首歌。

还有一位才三十多岁的小伙子告诉我，当他心中有了不平事，一个人走在路上时，他会不假思索地哼起"拿起笔，作刀枪……"我也记得那首歌，那是"文革"初期很流行的一首"红卫兵"歌曲，歌名叫《鬼见愁》，那时我是一所中学的青年教师，虽还没有被归为"牛鬼蛇神"，每当"停课闹革命"的"小将"们用粗喉咙吼出那狼嚎般的声响时，也不禁"一愁莫展"。这位小伙子告诉我：他在理智上，是否定"文革"的，但他却不能也不打算抛弃掉那铭刻在他灵魂上的"时代旋律"……

想起来真让人感慨万端，那些我们青春期所熟悉的歌曲乐调，竟会那样深沉而执著地滞留在我们心灵的井底，甚至会与我们的肉身共存亡于始终，从良性的角度说，这些歌曲乐调是滋润我们终生的营养品，从悲观的角度说，我们的个体生命竟是这些社会文化产品的终身人质！

正当花季的少男少女们，他们在路上跳跳蹦蹦地哼唱的，是些什么歌？将会有哪些歌经过时代社会和个人遭际的筛汰，会潴留在他们今后的心井中，成为他们中年、老年时代不经意便能哼唱出的旋律？

"生死歌哭"这个词汇，我在以前的文章中多次使用过。现在专门就人生的"歌"作一番探微发隐，才咀嚼出了"歌哭"两个字的浓酽味道，不禁又想到"长歌当哭"，

你 哼 的 什 么 歌

"百年歌自苦","人世几欢哀"……

现在中国很流行卡拉OK，在歌厅中大声唱卡拉OK，是一种情绪的宣泄，这种宣泄不仅受歌厅曲目的限制，更因有他人的在场，而变得更具表演性质、展示性质、炫耀性质、塑造自我性质；当然，在自己家中或几个知己在KTV包房中唱卡拉OK，也许会把所宣泄的感情表达得更从容、更精致、更舒畅，但那种自觉地大声地歌唱，和不自觉地哼唱，毕竟是本质不同的两回事。

人在不自觉的哼唱中，才接近于他或她真实的自我，一个被时代、社会、他人浸润的自我，一个力图与时代、社会、他人剥离的自我，一个欣悦的自我，一个痛苦的自我，一个松弛的自我，一个颤动的自我，一个向往着的自我，一个安于现状的自我……

人生途程上，我们一路哼唱……

哼哼唱唱的，不知不觉之中，我们度过了烂漫青春，迎来了哀乐中年，又惭惭步入了净哼出怀旧的"前朝曲"的老迈之年……

当我们即将离开这滚滚红尘的人世时，我们干涸的心井里，那最深最隐秘的所在，和我们最后一起湮灭的，是哪一首曲子哪一首歌？

1993.10.14

开发心大陆

　　常常地，觉得心里淤闷么？被些什么板块充塞了？

　　也许，那些心中的板块，大体都是难免的，甚至是重要的，而且是无法取消的；那么，为什么不把它们，起码是其中一部分，暂时漂移开呢？

　　往往地，觉得心中汪洋一片，意愿的航船，知向谁方？

　　"宰相肚里能撑船"，不只是说宰相"心量"大，而且，也意味着宰相的心里，在汪洋的尽头，有不止一块"心陆"。我们不是宰相，我们的"心量"，或许难有那么浩阔，但我们的心里，不能只有水波风浪，扪心自问过吗？自己的"心陆"，究竟有几"洲"几"国"几"城"几"乡"？各个板块之间，能和平共处吗？时而战火纷飞吗？向往着"世界大同"吗？能经常地整合为一个美好的心境吗？

　　地球上，已不可能再有新大陆的发现。大洋中有些地方，或许还会有某些珊瑚岛的忽现忽隐，甚至会有小块的陆地，偶从海里冒出，但都构不成什么重大的地理发现了。

　　我们的心，却是一个难以测量的空间。心如地球，充满生气，"海洋"浑雄，"大陆"奇诡，万类"活物"，腾跃竞争；但心更如宇宙，浩渺无边，其间有大量空间，静谧无声、神秘莫测。暂且只把心喻为地球吧，那也还是个有若干的新大陆尚未发现的地球，犹如郑和尚未"下西洋"，麦哲伦、哥伦布亦未出世之前那种情景儿。

　　我们要学会开发心大陆。

你 哼 的 什 么 歌

　　一千五六百年前,陶渊明作《归去来辞》,高歌"既自以心为形役,奚惆怅而独悲!悟已往之不谏,知来者之可追;实迷途其未远,觉今是而昨非!"从"云无心以出岫,鸟倦飞而知还"等最素朴的自然景象中,获得了前所未有的憬悟:"善万物之得时,感吾生之行休!已矣乎,寓形宇内复几时,曷不委心任去留?胡为乎遑遑兮欲何之!"他那就是在开发自己的心大陆。当然,那是一种"弃旧图新"的态势。从那时起,他便彻底"出世","开荒南野际,守拙归南园","结庐在人境,而无车马喧","问君何能尔?心远地自偏"了。他对心大陆的开发,未免太消极了吗?但就他个人而言,是因此避免了与污浊同流,平安地度过了心理危机。是的,他也因此没能济世兴邦,但他给我们留下了不少优美蕴藉的诗篇,谁能指责他对心大陆的开发是"多余"、"堕落"呢?

　　一千多年前的白居易,与陶渊明不同,他是很"入世"的。他的前辈杜甫,其"致君尧舜上,再使风俗淳"的抱负,显然是他所尊崇继承的,但他不像杜甫那样,往往充满了过度的焦虑感,他是很善于把对现实中的黑暗不公的愤懑,与对一己的雅致生活的维护自娱,在心理上达于平衡的,从他早期的《观刈麦》诗,看到农民的艰辛稼穑与苛税后的饥苦,便吟出"今我何功德,曾不事农桑。吏禄三百石,岁晏有余粮。念此私自愧,尽日不能忘!"到后来他的一系列诗作,这样的心理调适频频出现,"回观村闾间,十室八九贫。北风如利剑,布絮不蔽身。……顾我当此日,草堂深掩门。褐裘覆絁被,坐卧有余温。……念彼深可愧,自问是何人?""桂布白似雪,吴绵软于云。布重绵且厚,为裘有余温。"……"谁知严冬月,支体暖如春。中夕忽有念,抚裘起逡巡。"……"安得万里裘,盖裹周四垠。稳暖皆如我,天下无寒人!"白居易实在是一个很会开发心大陆的人,他的"心陆"很多,既有承载《新乐府》、《秦中吟》那种忧国忧民情怀的大板块,也有"青旗沽酒趁梨花"的小绿洲,而每当他在仕途、生活中遇到坎坷挫折时,他的心海不颠狂,心路不淤塞,从他的诗中可以看出,他又开发出了心大陆,得以达到新的生命平衡。我们当然可以认为白居易的诗歌成就未必多么高伟,比如断言他大不如李白和王维,但我们难道能指责他的开发心大陆,是"虚伪"、"滑头"吗?

　　往事越千年，今人胜古人。我们当代人越来越清醒地意识到，我们的生命，实际上是贯穿于一系列的心理活动中，体现于一个又一个的"当前心情"，因此，无论是从参与社会、与他人亲和的角度，还是从自我提升、自我完善的角度，我们都应该有开发心大陆的气魄与技巧，使我们的灵魂，永远丰盈而鲜活！

人生需要友情

人在一生中，将涌现出、遭遇到多么丰沛而复杂的情感啊！

刚刚迈进成年门坎的朋友，我知道，在种种个人生活领域里的情感波涛里，现在最撩拨你心弦的，是爱情和友情这两朵浪花。

刚刚成年的朋友，我们为什么要讳谈爱情？纯正健康的爱情，是成年人生命途程中的美曲奇葩！可是，那是确确实实的——真正懂得爱情，并不是一桩容易的事；真正获得爱情，更不是一件简单的事；享受美好的爱情，更非所有的恋人都能如愿以偿！在这里，我只想指出一点，那便是，你的生命，只有一次；你生命中有的东西，也只能经历一次，比如说，你的童贞！人在一生中，可能经历多次的爱情；但童贞，只能奉献出一次；因此，由于爱情实在是个诡谲而复杂的问题，我一点也不想把它简单化，可是，我还是要竭诚地向你提出一个忠告：即便你自己觉得你已有权爱和被爱，但成熟的爱情于你来说恐怕尚是前方的甘泉，你可千万不要匆忙奉献出你那一生只持有一次的童贞！来日方长，前路漫漫，要学的东西和要做的事正多，莫因好奇而旁骛，勿为任性而荒唐！你生命的前方有爱情的甘泉在潺潺流淌，跋涉一段吧，你将适时而饮那爱恋的蜜汁！

刚刚成年的朋友，你知道吗？人生的情感世界中，最宝贵的领域之一，是友情！一个人在一生中，未能获得爱情，当然是一桩遗憾的事；可是一个人在一生中竟从未领略过友情，那么，可以毫不夸张地说，他简直是白活一世！

什么是友情？那是一个个体生命，和另一些个体生命之间，所达成的一种奇妙的沟通。人与人之间不仅产生出了好感，建立起了信任，并且乐于坦陈心事，在快乐的交谈中互相滋润心灵，在直率的争论中互相切磋砥砺，甚至在默默无言的共处中，也能感应到心灵的低语慰藉……不要把友情理解为仅是利益上的相通、物质上的共享、人际上的纠结、危难时的援助；友情首先是一种精神上的默契，是心弦与心弦的呼应。如果说你现在堕入爱河还为时尚早，那么，我想告诉你，我的刚刚迈入成年门坎的朋友：你应当已经初尝友情的甘美，你和称得上是你朋友的人，应当用诚实与信任、正直与执著，浇灌你们友谊的苗木，让其尽快长成一株秀美坚挺的大树！需知，从童年时代，特别是中学时期萌生的友谊，是最弥足珍贵的！

非功利的，纯感情的，牵动两心，互促互励的友情，具有超越岁月，超越地域，超越俗世纠纷，超越沉浮升迁，超越性别以至辈分的魅人力量，是我们人生跋涉中不可或缺的心灵宴飨！刚刚迈入成人门坎的年轻朋友，我为你获得真正的友情而默默祝福！

用爱拥抱世界

个体生命必得与他人、与群体和谐相处，方能获得生存的真谛。

当然，在这里，我们暂时把敌人排除在了探讨的范畴之外。对于入侵或企图入侵的外敌，对贪官污吏，对危害绝大多数人利益的坏蛋，在我们的情感世界里，为他们所准备的，只有鄙夷与仇恨；对于这些败类，我们要与之作不懈的斗争！

可是，面对着我们周围的淳朴同胞，无数的父老乡亲，众多的兄弟姐妹，我们的情感世界，怎么冷冷清清、漠不关心、麻木不仁？在我们的情感世界里，无论是亲情、友情，还是爱情，都不能充塞得再容不下别的东西；我们应当留出非常宽阔的情感空间，来关爱我们的同学、老师、同事、邻居……乃至于旅途中偶然相遇的同胞！还记得雷锋冒雨将一位本来并不认识的老大娘送回家的事迹吗？这是超越了一己的亲情、友情和爱情的，更加美好，而且确实看似平凡，却实在伟大的爱心！雷锋的胸膛里，涌动着多么纯正浓酽的爱波，他的情感世界，是多么宽广而瑰丽啊！

刚刚迈入成年门坎的朋友，请责己严、责人宽，不要因他人有弱点和缺点，便鄙弃乃至嘲弄；不要事不关己、高高挂起，在他人的困难与危险面前闭上眼睛、缩起手脚；不要因为初涉复杂的人际，自己遭到了一些白眼冷遇，便一味喟叹世道的险恶；更不要因为自己一帆风顺，便在春风得意中仰鼻阔步，不以他人为意……请以宽厚之心待人，尤其要扶助老弱病残；请见义勇为，助人为乐；请以乐观的眼光看待生活，以幽默化解烦忧；倘若你是一个成功者，那么，更要请你携起周围人的手，以你的关心与呵护，善意与助力，带动大家一起创造更合理更美好的生活！

你当然爱自己的祖国，爱生息在祖国大地上的各个民族，爱我们祖先为我们留下的文化遗产中的那些熠熠闪光的精华，可是，你还应当意识到，我们毕竟是这个星球上的人类中的一分子，因此，我们的民族自豪感，应当与我们对整个人类的关爱，融合起来；凡是人类所创造的文明中的精华，我们都不仅乐于学习、运用，并且我们的情感世界里，也荡漾着为全人类的不断进步而欣悦的波环！

年轻的朋友，我们更要憬悟，在这个星球上延续着生命的，不仅是人类，还有那么多的动物和植物，而且，就是这星球上的无机物，一抔黄土，一块岩石，一掬海水，乃至于罩在我们星球上的大气层，那蔚蓝的天，雪白的云……整个大自然，都是值得我们珍爱的！还有那白天照耀着我们，给予我们光与热的太阳，以及夜里那引出历代人类无数曼妙想象的月亮……包括整个宇宙，都应当进入我们的情感世界！

听过德国作曲家贝多芬（1770—1827）的《第九交响乐》吗？在最后一个乐章中，交响乐队的演奏与合唱的音响交织为动人心魄的大爱之音，那唱词取自德国大戏剧家也是大诗人席勒（1759—1805）的诗歌《欢乐颂》，其"拥抱起来，亿万人类……四海之内都成兄弟"的情感抒发，汹涌澎湃，奔腾飞扬，我们的灵魂中，当能容纳进这般情怀，回旋着这般旋律啊！

啊，生命是多么富于尊严！活着是多么奇妙！在世为人，仅就我们的情感世界而言，它可以覆盖得多么宽广，延伸得多么辽远啊！

年轻的朋友，用爱拥抱世界！你的生命，将在这样的情怀中升华。

让情感的森林永远青葱

　　情感世界好比一座翁郁的森林，其中有着多种多样乃至复杂微妙的群落，爱与恨也许是其中最壮美与最森严的群落，但除了爱与恨，人的情感森林里还会有诸如钦慕与嫉妒、欣悦与懊恼、痛快与惆怅、融乐与孤独、崇信与狐疑、满足与失落、狂喜与沮丧、祈盼与绝望等互相纠结的乔木灌木藤萝草菌。大体而言，一个人的感情森林不可能只有单一的树种，也不可能都是"落叶林"或都是"常青树"，并且也不可能只有比如说钦慕这种明亮的情感苗木，而完全没有嫉妒那样的灰暗草菌。

　　我们首先承认，我们的情感世界难免有纠结杂芜、妍媸混生的状况，并且那情感的森林难免会在外界阴晴风雨、雷霆雨雹的影响下，波动翻腾，变化万千；但是，我们又应懂得，作为这个情感森林的主人，我们不仅应该，而且能够做到，使这座森林保持一种良性的"生态平衡"，就是说，到头来，我们要使美丽有益的情感得以蓬勃滋生，发展壮大；而使阴暗猥琐的情感受到抑制；某些最具破坏性的情感，比如说膨胀不已的嫉妒，则应如同对待森林害虫与蚀叶霉菌一般，将其尽可能芟灭排除。

　　上面我们讲到，你应当具有对祖国对同胞对世界对人类对大自然乃至整个宇宙的大爱，那是巨大的情感树丛；但这并不等于说，你可以忽略或轻视许许多多微妙琐屑的情感瞬间，比如你在一个叶尖凝出露滴的清晨，忽然有一种莫可名状的欢愉，又好比你在一个月色如水的夜晚，心尖倏地掠过一丝无端的忧伤……这就好比在大爱的树丛中，还有些蕨草藤蔓、杂花蘑菇；这些情感因子的存在不仅无伤大雅，而且更证明着你人性的丰富，人生的多彩。珍惜你整座的情感森林吧，你的人生使命不是使它单一枯涩，而是让它摇曳多姿！

每个人的情感森林，应当有不同的风格。有的人情感可能比较浓重，有的人可能比较淡泊，有的人可能比较细腻，有的人可能比较朗阔……你属于哪一种？在自赏一己的情感风格时，你无妨容纳甚至欣赏他人那与己不同的情感风格。正是因为人们的情感风格并不一致，我们大家相处时才会有更多的乐趣与回旋余地。当然，情感过分枯涩粗糙，就像没有大树，甚至连灌木草丛也稀稀拉拉的植被，那会导致情感的"沙漠化"；情感过分细腻脆弱，犹如森林中充斥着过多的藤蔓苔藓等寄生物，那会滋生瘴气腐物——都属病态，是我们应尽力改进的。

到过丰茂壮丽的原始森林吗？至少，在影视或照片里，看到过从空中所鸟瞰到的广袤无际的山林那爽人眼目、动人心魄的景象吧？凡在平衡中健康发展的森林，都显得那么青翠葱绿！我们的情感世界，便应当如那般充实而鲜活，丰盈而瑰丽！

年轻的朋友，祝你拥有一座永葆青葱的情感森林！

谁也不能被忽略

坦率地说，虽然 1994 年我去过祖国的宝岛台湾，可是关于台湾的方方面面，我不仅并未获得充分的发言权，而且，有的方面，我甚至还一无所知。

比如说，1995 年 11 月我到威海参加"人与大自然——环境文学研讨会"时，遇到了来自台湾的 14 位同胞，其中有一位名叫瓦历斯·诺干，他体魄魁伟，皮肤黝黑，一双大眼闪着锐光，问候中，他称来自兰屿，我便想不出兰屿究竟在台湾的哪个部位。后来听了他在会上宣读的论文，才知道兰屿是孤悬于台湾东南海面 49 海里的小岛，其上居住着雅美族人，共约两千余人，他便是雅美族的一个传人，瓦历斯是他的名字，诺干则是他父亲的名字，他的儿子，也在名字后缀着他的名字，这是他们部族的命名习俗。刚见到瓦历斯的时候，我见他将脑后的长发，用粗红的带子扎成马尾巴，心中思忖道，啊，这种西洋男士偏留长发（而女士偏剪极短的分头）的时髦，竟流布得如此之广啊！会上有人提问，问及他的发式，他答曰：那是雅美族成年男子的传统发型，而只有被视为勇敢者，方有资格以红带束发，这时我才恍然大悟，心中不禁赞道，瓦历斯兄弟，壮哉勇士！

瓦历斯在发言中，讲述了雅美族那与大自然亲和的优良民族传统，令人神往。然而，这自在而诗意的生存状态，一再遭受到大民族主义的破坏与摧残。特别是国民党撤至台湾以后，在很长的时间里，根本没把兰屿的雅美族放在眼里，先是将其作为流放"犯人"的荒地，后来更向那里倾倒核动力废渣，再后又把那里当做让外来游客观赏奇风异俗的摇钱树，甚至于直到 70 年代，还在一份"内政部"委托的研究报告中污蔑雅美族"语言单调"、"思想落后"、"精神萎靡"、"懒惰成性"！即使后来将其辟为旅游地，也还是将雅美族作为"被研究"、"被观看"、"被使用"的毫无自主性的一个社群。

到了瓦历斯这一代，雅美族开始了越来越自觉，也越来越强硬的抗争，他们抗议大民族主义对他们民族的歧视与剥夺，以各种方式，包括创作本民族文学作品，来开掘雅美族的优秀传统，提升雅美族新一代的自尊与自信精神，并不懈地诉求着与其他民族，以及大自然的和谐关系。瓦历斯便是雅美族中产生的一位极为优秀的诗人与散文家。

雅美族有自己独特的语言，但并没有专门的文字。瓦历斯写作使用着汉字，并且，他能用一口相当不错的台湾"国语"与我们交流。会上也有人问他，对使用这样的语言和文字他有没有心理障碍？他回答说，恰恰相反，他不仅没有心理障碍，而且在民族大家庭中，甚感能使用这样的工具进行畅快交流，是多么的惬意！他说，雅美族并不想与世隔绝，更不想排拒可取的新的生活方式，他们所企盼的，只是不能因为他们是少数，便因此被忽略，甚而被欺侮；当然他们的处境现在有一定的改善，不过，他还是反对仅仅将兰屿定位于"中国的夏威夷"，将雅美族定位于一种为旅游观光者表演的群体，兰屿和雅美族理应获得更充分的认知与尊重！

瓦历斯是第一回来到祖国内地。他承认，正如我们对兰屿和雅美族知之不多一样，他对祖国内地也是难以想象的。听说他要来祖国内地，他的父亲还一度非常担忧。像大多数淳朴的雅美族长辈一样，他父亲每当生活中遇到问题时，便会长饮不止。在瓦历斯宣布他将赴祖国内地后，他父亲一杯接一杯地喝起酒来。父亲无语，而瓦历斯洞见父心。父亲 50 年代被国民党征过兵，驻扎在金门岛，经历过我们这边万炮齐轰的日日夜夜，记忆中被刻上了僵硬的纹路。瓦历斯跟父亲对饮，亦在无言中，传递给父亲时代已有不同，以及请其放心的信息。但瓦历斯双脚刚踩到祖国内地上时，心中虽不忐忑，却毕竟有生疏之感。

在威海开了几天会，瓦历斯和内地的作家、学者们很快打成了一片。有一天他忽然很兴奋地跑到我面前，额上汗津津的，掏出若干人民币，放在桌上，刹那间弄得我莫名其妙，我知道他是刚逛了威海市的商场回来，那一定是售货员找给他的一些小钱，敢是他嫌那些钞票太脏？我正疑惑中，他指着那两元、一元、五角、二角和一角的钞票，问我："这上面的人像，都是什么人？"

说实在的，我虽然不知用过多少回多少张人民币，可是，对纸币上的人头像，尤其两元以下的，却简直没有仔细观看过。直到瓦历斯将那些票子摊开在我面前，我才定下心来细看。我告诉他，那上面画的是些少数民族的同胞。他甚感惊奇，说："我们那边，老百姓是上不了钞票的，何况少数民族！"接着便非要我一一说明那上面的人头像分别是哪个民族的，当然有的我很快便说出来了，可是有的我却不能断然指认；看到他在笔记本上认真地记录着我未必准确的报告，我汗颜了！我也曾看过报刊上有关的介绍文字，可是从未一一记忆过，万没想到，人民币上的这些少数民族的人头像，会让瓦历斯如此激动与看重！我虽然不能把每一个人头像标志的民族准确地告知瓦历斯，可是，当瓦历斯问到我人民币上除了汉字以外所印的那些文字时，我则很自信地告诉他，那分别是蒙文、藏文、维文和壮文，而且任何一张人民币上都必印着这四种文字；瓦历斯拿起一张张人民币，认真地辨认着，双眼更加炯然放光……

我懂了，作为祖国兰屿岛上人数很少的雅美族的一个传人，他从人民币的设计上获得了强烈的慰藉……是啊，谁也不能被忽略，哪怕是只有寥寥两千多人的一个小小族群！

研讨会当中，与会者一起到刘公岛参观。正是由于甲午海战失利，中国海军的精英们的殉国悲剧在刘公岛上最后落幕，洋务运动宣告失败，签定了丧权辱国的《马关条约》，台湾才被日本占据统治了半个世纪，而兰屿的雅美族也因此长期地被忽略不计，被侮辱与被损害……大家因此都很激动，瓦历斯更显得沉郁持重。

当我们乘渡船返回威海市区时，船头的五星红旗在海风中猎猎飘舞。瓦历斯一直沉默不语，可是，船行到航程一半时，他忽然揽住我的胳臂，同我站在五星红旗下，要带相机的朋友为我们合影。我和瓦历斯·诺干紧紧靠在一起，仿佛我们的血液在一个身躯里循环并且两颗心合为了一大颗在激昂地跳动……

　　是的，在这面国旗下，作为中华民族中的任何一个民族、社群与成员，哪怕很小，谁也不会被忽略！

　　我们是一个息息相通的整体，谁也不能将我们拆开！

　　瓦历斯回台湾了。我们分别保留着一张刘公岛海域上五星红旗下的亲密合影。照片也许终将褪色，然而我们共一腔热血的情怀，将与天地永存！

自己的鼓点

无论在中国古典音乐还是西洋古典音乐中，鼓的敲击总构成特异的效应，那不仅是节奏的点染，更是情绪的沸扬；在现代音乐中，尤其是当代青年人钟情的摇滚乐，那鼓所扮演的角色简直就是火焰的舞蹈，听众和歌手乐队如同即将喷发的火山岩浆，呈现为一种惊心动魄的社会景观。

人类有其共同的鼓点，否则人类不可能进化到如今；一个时代有一个时代的鼓点，否则也就无所谓时代精神；一个民族，一个群体，往往也有约定俗成的鼓点。但这里要说的，是一个人应当有自己的鼓点。

个体生命的失去自我，或因群体的约束过严过苛，或恰恰相反；大体而言，处在转型期中的国人，由于选择的可能性空前丰富，而严密的游戏规则尚未健全，借用一句学术语言——面对着一定程度的文化失范，不少的人，便反而在眼花缭乱、心猿意马之中手足无措，没有了自己独特的鼓点。

处在转型期的经济大潮中的人们，赶快敲击出那最适合于自己的生命鼓点吧！

你应当每过一个时期，这样递进地问自己一遍：

"我为什么不知道自己究竟应该干什么？"

"我知道自己最适宜干什么了，可为什么没有信心？"

"我知道该干什么并且信心百倍，可我从何入手？"

"我着手干了，可为什么我遇到那么多的困难？"

"我现在懂得，绝不是我一个人遇到麻烦，谁也不那么容易；但我该如何跨越那一个又一个的阻拦？"

"我有了小小的成功吗？越是这种情况，越要自问：我所做的真的适合于我吗？现在改变还来得及！"

"我不改变，并有承受停滞乃至失利的心理能力……真的吗？"或者："我毅然改弦易辙，并有承受新风险的心理能力……真的吗？"

"我是不是把自己搞得太累太苦了？"

"于我来说，这就意味着幸福吗？人生的真正意义究竟是什么？"或者："于我来说，这就意味着不幸吗？自我生存的真谛究竟是什么？"

这样自问自答的结果，便是心鼓节奏的调适，调出了属于自己的鼓点，便尽情尽兴地敲击吧！在时代和人类的大鼓点的背景里，添进我们生命的鼓音！

"偃旗息鼓"，是失败者的退却，必要的退却即使并非怯懦，也很可能导致今后的优柔寡断，所以万一短暂地息鼓，也不要收鼓、弃鼓——应当在及时地调适之后，重打鼓，另开张，使生命的鼓点有喘息而无停息，生命不止，擂鼓不息，并且用力地敲击出自己那独特的鼓点来。

1993.6.5

你只能面对

不知道像我这么大年纪，以及比我还大的中国人里面，到今天为止，一共有多少位看过《北京杂种》这部影片。影片是 1989 年夏毕业于电影学院的张元导演的，他毕业后被分配到八一电影制片厂，他没去报到，他选择了独立制片的道路，他先是导演了一部黑白短片《妈妈》，几个国际电影节的主办人来中国选片时，立获青睐，去参赛时，马到成功地得了好几项奖；后来他拍了几个 MTV，都很别致，有的已在电视上播出。他那《北京杂种》还未拍竣，其片段在荷兰鹿特丹电影节作观摩放映时，竟引起轰动。现在，《北京杂种》终于克服了资金等方面的困难，在法国做完后期，成为一部完整的作品，但此片无在我国发行必需的"厂标"，所以不能公开发行——不过有关的报道已出现在国内多家报刊上（有的发行量很大），而且听说已获若干国际电影节的邀请，并很可能在"墙外"获得殊荣。

据说张元是我国"第六代"导演的代表人物之一。以我看《北京杂种》的感受，我觉得他的片子无论从哪种角度来体味，都确确实实与陈凯歌、张艺谋、田壮壮等"第五代"导演划清了界限，从审美落点、切入角度、镜头语汇、制作方式及潜意识中的"心灵符码"、"非包装"的包装形态……都与后者不再重合。如果说从第一代、第二代……直到第五代的中国导演们，他们的审美趣味是逐渐地从一个"圆心"衍化为两个"圆心"，又终于扯开了距离，成为了一些相割的"美学圆"，即进入了"多元"状态，并进一步缩小着各"圆"（元）相切割的"叶子瓣"，乃至终于由"相割"

而挪移为仅仅"相切"。但不管怎么说,他们毕竟还是联在一起的。而《北京杂种》给予我的震撼力,首先是一个明白的信号:这一代,他们的美学趣味,或说创美取向,亦即他们的那个"美学圆",轰隆隆地脱离了所有粘连在一起的那前几代的"圆",成为了让我目瞪口呆乃至是瞠目结舌的一个"怪圆"!

我面对着以世界上最先进的洗印技术制作出来的新拷贝放映出来的鲜艳十三彩的画面,其大街上偷拍的那些镜头绝不像《秋菊打官司》那么"民族"和"乡土","老外"们的"异国情调欲"得不到满足,爱国者也使用不上"取悦于洋人"的恶谥。张元竟把90年代的北京表现得不堪入目地真实,这是一种我——相信绝不仅仅是我——完全不习惯的"艺术真实",不仅是"歌颂"与"暴露"之外的真实,也是"调侃"与"冷漠"之外的真实,而又绝非不经意的真实。有一个镜头,夜晚小胡同的一堵灰墙下,影片里的一个刚从小酒馆出来的年轻人,他撒尿,整整一泡尿,镜头一动不动地从头拍到尾,你没有必要说:"电影怎么可以这样拍?"因为他已经拍完,并用最先进的技术制作出来了正放映给你看,因为他自己就是制片人,他在投拍时没有"想法通过审查"的"自审"、"自律"意识。当然他也想能公开发行,但那是下一步的事,他现在就这么拍,拍成了;而且你连着看下来,你一万个"不忍",却又不得不承认,就张元和他的合作者来说,他们的语码逻辑流动到那里时,那泡尿那样撒,在他们那个"美学圆"里,是一种自谐的处理,是一种生气勃勃的创造,而非无知无识的胡闹;于是你有了"卒看"的理智。

但《北京杂种》并不需要我这种理智,在九十分钟的长片里,回环立体声的高保真音响正在为录制得很精心的声带传送着影片的音波,其中重复得最多的一个语汇是"傻屄",我不知道读这篇文章的人有没有勇气读出这个字眼,正是张元自己告诉我,有些人——多半是我这种年纪以上的人和某些年轻的女士——见到他时,总说想看他这部片子,却怎么也没有勇气把片名中的后两个字说出来,于是说成"你什么时候请我看你那个《北京……什么》啊!"张元强调他拍的不是《北京嗯什么》而是《北京杂种》,他不明白想看的人为什么不能坦然地说出他作品的题目,他自认那是很严肃的制作。面对他的这号严肃,我有一种逃避的本能,就是用一声"不严肃"

的宣判，让他死，让我继续地——不仅是活，而且是活在荣耀的聚光灯照射之下；但张元之流不仅死不了，不仅活得很自在，而且简直是活蹦乱跳；他这部以五条模模糊糊的勉强可以称为情节的线索组合而成的影片——其中占最主要篇幅的是关于摇滚歌手崔健和他的乐队寻找新的演出场地的情形——究竟是怎样的一种严肃？可以这么样地"严肃"吗？但也不再存在可不可以的问题，他已经这样地严肃完了，并且还将顺此严肃下去。

最近在一本杂志上看到他接受记者采访，记者问他："《北京杂种》主要反映当代北京青年的生存状态，那么你认为现在的青年人究竟是怎样的一种心态？怎样的状况呢？"他说："我认为现在的青年人也就是我们，我从来不想去说他们，有人问我怎样去表现他们，实际上是怎样去表现我们或者表现我……我觉得现在每一个人尤其是青年人，都有一种感觉，就是过去的信仰不存在了，'上帝'走了，理想与崇高也从我们眼前走了，我们心里现在剩下的是什么？什么都没有了，离我们最近的，就是一个'钱'，面对这个问题怎么办？我认为现在青年人面临的就是这个问题，而且越来越胡涂。那么，在那些原本支撑我们精神的东西……消失了以后（我们本身也开始躲避它们），我们怎样去发现自己，怎样去清理自己的感情，怎样去面对我们个人，怎样去完成我们自己的道德，这是现在青年人的问题，即我们个人必须为自己承担责任的时候，我们该怎么做？我认为中国现在的年轻人需要清理，彻底清理自己的感情，知道什么是正义、什么是正直、什么是真正的东西……清理之后，也许会感到失望，也许会有强大的委屈感。……如果每个人都感觉到很舒服，你说这个社会能进步吗？一切都掩藏在虚假中，你说这个社会能进步吗？"（《女性研究》杂志 1993 年总第七期）原来这位不到三十岁的导演是在发现、清理他自己和同代人，在完成他们应有的道德，浸淫在追寻正义、正直、真实的痛苦中而并不希图舒服。试问，用反规范反道德反痛苦反前瞻的"后现代"或摒除外来语码污染追求原土语体的"后殖民主义"等等现成的也时髦的"量规"，你能量出张元艺术追求的尺寸吗？他严肃得真是又稀奇，而又"不过尔尔"。但我在观看《北京杂种》时却并未感受到他的这种理性，就是现在回味，也怀疑他那些讲给记者的话，不过是自我的心理补偿。

关于在我们这个国家所出现的多元艺术现象，至今有人采取着鸵鸟般的态度，他们说："还是不要提多元，还是提多样的好！"但如今一个提法能有多大的有效覆盖面呢？对于不尿你那提法一壶的人，你可怎么办呢？禁绝？把他灭了？法律依据是什么？做得到吗？而且最关键的是：这样做对发展我们民族的文化艺术有什么好处？恐怕是只有坏处！也有些人，临到实在不得已，便勉为其难地硬着头皮把明明是异元的美学前提的作品，从提法上归到自己所尊崇的那一元里。比如他尊崇现实主义，又不好禁绝某个非现实主义的作品，便强颜欢笑地说那个作品"具有现实主义精神"，而且其存在"恰恰体现了现实主义的多样性"。其实，美学前提完全不同的艺术现象，即以电影创作而言，那已完全是一种不可也不必逆转的现状，我们只能面对这多元的局面，如果你尊重某元，你就潜心创作、拿出最能体现你那一元特色的作品，或孜孜不倦地为你喜爱的那一元捧场好啦，"卧榻之侧，岂容他人酣睡"的心态是不可取的，何况人家的酣睡之处，其实离你那卧榻还远着哩！

不管怎么说，我坐在放映《北京杂种》的现场有一种尴尬感；至少在我所去的那一次当然是非营业性亦非所谓"内部放映"（只有属于一个单位的片子才会有内外之别）的观众座席上，我简直没看到几个跟我年龄相近的人，更没有比我老的，这当然是张元及合作者的邀请取向所致。很显然，他们确是为了自己那一代拍这部影片的。他们真是要"清理"自己吗？放映中座席里不时发出由衷的呼应声，非哭非笑，非喝彩非起哄，我感觉影片和周围的观众都让我尴尬，我只能面对这种不属于我的艺术，好在我总算还懂得尊重别人的创美和审美，尤其是，年轻的一代甚至于只需等待，便可将我以上的一代所抱住不放的东西消解掉，我懂得这个，所以到头来我也能面对自己的尴尬。

《北京杂种》目前尚不能在中国公开发行，这也许令我的尴尬有机会转变为快慰，也是在那本杂志的采访记中，张元说："……《北京杂种》马上面临的就是发行问题，也就是有关部门审查问题，但我知道中国现在没有电影审查法，使得我们不知道通过一个什么形式、什么标准去审查一部电影。我希望中国能尽快有一个电影审查法……我知道许多导演在没有接受审查之前已经开始自我审查、自我审定，中国在文艺上始终只有政策，没有法律，我一直希望中国真正完善法制……有法制了，我们才知道该怎么做，只有法律才能建立一个平等。"他和他那一代人，原来并不是要搞什么"地下文艺"，他们很坦然地从事独立制片，正如我们中央电视台很坦然地播映了由领有"求职证"的个体作家主创、由"非官主"的创作集体执笔的"肥皂剧"一样，他们迎着法制上，希望他们的电影也能通过法制化的审查，堂而皇之地在电影院公映，也许，那时真能使为数不少的包括坐在"情侣座"上的他们的同代人，边看边发出让我莫名惊诧的呼应声！

鲁迅先生在《祝福》中，写到鲁四老爷在康、梁早已被更新潮的一族斥为可耻的"保皇党"时，竟还在那里愤愤然地把康、梁当做最新的洪水猛兽一族加以诅咒，每读及此，我就产生出一幽远的悲怀：到什么时候，中国的"鲁四老爷"们，才能不一定改变他们的立场，而能睁开眼睛看清并面对早就把"康、梁"甩到后面的崭新的"怪物"呢？也不要光说"鲁四老爷"，就是比如说我这样的半新不旧的人物，彻底地做到冷静地面对"新潮一族"，又谈何容易？

不过依我想来，再年轻也好，再独立也好，再新潮也好，再"墙外花香"也好，你既想进入中国现实社会，想进入法律，也就是进入有规则的游戏，那么，你也就得面对前几代人，面对他们的约定俗成，面对他们的积累、荣辱和即使确可叫做"偏见"的种种东西，甚至要像《祝福》中的"我"必须面对鲁四老爷一样。在这个过程里，你当然会坚持你那主要的东西，但到头来你也还是要学会妥协，以中国的电影发展为例，近十多年来，几代导演的作品，正是在这样的迎面激荡中，一方适当妥协，一方尽量容纳，虽有终不成事的少数例子，但大多数是"柳暗花明又一村"的结局，而中国电影的总体成就，也便呈现出耀目的光彩，在"走向世界"上领先于中国的文学、戏剧和造型艺术，并有集体推进、登峰造极之势，国人中虽有"媚外"之訾议，但总体而言，是官民皆视作为国争光。

相对而言，我们的文学虽被说成是"新潮滚滚"，所谓"仿佛身后有一条叫做'创新'的疯狗在追赶着拼命地往前飞跑"，其实，与电影界相比，文学中最新潮的一族，也还只达到"第五代"导演的"新"度（"第五代"钟情于他们的小说频频改编亦是明证），似乎还没有出现如张元《北京杂种》这样"触目惊心"的"新生代"的标志之作。张元的制作我很不欣赏，但我得说，我确实看不出他被"创新疯狗"追逐的迹象，也看不出对钱这个"离得最近"的东西的算计，他确实是由着自己性情，从容地做事，不具对其他各代的有意挑战，没有进攻性，没有取代欲，他就是自己确立一个圆心，以自己的半径，画出一个属于他自己并希冀他那一代人（不是全部）也能认同的"怪圆"，其圆周不与"第五代"以上的各代画出的圆相割或相切。这是"另起炉灶"的一代。这一代终于出现，不以我们的意志为转移。

我不敢揣测《北京杂种》公映的可能度，但这毕竟是一部已然存在的电影，我们只能面对，而想让其获得公映许可的张元，也只能面对他必须面对的一切，尤其是在公开的运作和明面的符码下面微妙的心理壁垒，这是处在转型期中的中国大陆文化的一个非常典型的现象。

现在是"面面相觑"。以后呢？

1993.9.9 于北京绿叶居

马悦然院士如是说

今年的诺贝尔文学奖得主是美国的黑人女作家托尼·莫里森。我不知道中国此前究竟有多少人知道她，翻译过她几多的作品，但可以想见，关于她的介绍，会陆续出现在中国的报刊上，而译介她的代表作，也会立即列在某些专业杂志和翻译家的日程表上。会有很多中国作家和文学爱好者钟情于她的作品，一如当年哥伦比亚的那位加西亚·马尔克斯和他那本《百年孤独》，不仅风靡了读书界，还很引出了一批或堪称借鉴有术或只能说是"东施效颦"的"中式本文"。

决定诺贝尔文学奖得主的机构，是瑞典学院（Swedish Academy，可意译为瑞典文学院）；瑞典学院现有十八名终身院士（逝去一名补选一名），其中懂中文的只有一位，就是著名的汉学家马悦然（N.G.D.Malmqvist）；马悦然今年10月2号——即投票决定今年诺贝尔文学奖得主的前几天——还在北京，他这次来华，属私人旅游性质，先去游览了云南的西双版纳，后随夫人陈宁祖去四川灌县为岳父母扫墓，最后一站才是北京；在北京，他们夫妇去拜望过艾青、沈从文夫人等老相识，又由华艺出版社出面，招待他们夫妇吃了一餐饭，顺便请来严文井、从维熙、叶楠、刘湛秋、陈建功、王朔、刘恒、刘震云等新老作家朋友相会，我因去年访问过北欧三国，马院士又亲自陪我访问了瑞典学院，所以也去作陪。大家席间七嘴八舌，闲聊一通，虽涉及若干文学话题，但没有哪位作家提及诺贝尔文学奖的事，倒是在座的一位编辑，在快散席时直截了当地问马悦然院士："诺贝尔文学奖，怎么还不给中国作家？这回究竟有没有中国作家得到提名？您投票，是不是一定会'中国优先'？"

马悦然院士微微一笑，略作沉吟，便很认真地回答说："每年我们评出的作家，只能是从得到有效推荐的那些作家中产生，开始，那可能是一个长达一百五十多个甚至达到二百个的大名单，经比较迅速的删减，到夏天，可能就只剩五名了，于是每个院士都来读这五位作家的书，不一定非要瑞典文的，英文的就都能鉴赏，如果是译本，那必须有好的翻译水平——到秋天会有多次认真的讨论，在十月初，正式投票，得票过半数的就成为当年得主，整个过程都是保密的，所以谁谁谁得到提名的说法，都是报刊上的猜测性消息，我们瑞典学院从不予以证实也从不辟谣。曾有一个说法，当年瑞典学院托人来问过鲁迅，问他要不要得诺贝尔文学奖，他说不要；这是不可信的，因为瑞典学院从来不会这样做；只要符合程序，评出谁就是谁，他本人要不要，不是一个前提……"

以上的这些话，大家并不觉得怎样新鲜。马悦然院士接着说："关于中国作家，我觉得我很难公开说什么，前几年我翻译了北岛、顾城的诗……就有人说我提名他们了，我希望能把我的翻译，看成是我作为汉学家的一种努力。常有人提出这样的问题，中国有五千多年的文明史，为什么不把奖发给中国作家？可是诺贝尔文学奖不能发给屈原，不能发给李白，发给辛弃疾，发给曹雪芹……而且，我想特别告诉你们，诺贝尔文学奖只考虑发给在世的优秀作家，不去管这位作家所出生的地方大不大，那里的历史久不久，是五千年还是二百年，我们对所有的作家一视同仁，只要他（她）写得好……就是这样！"

马悦然院士最后的这段话，显然给了在座的各位一个强烈的印象——起码我就颇受警动。怎么就算写出了好作品？（对于中国作家来说，还有更伤脑筋的问题：怎么才算拥有了一个好的译本？）这固然是需要另作讨论的问题，但动辄把"五千年文明史"、"泱泱大国"的"大背景"当做个人创作"走向世界"的"仗恃"，这样的"心理定式"，确实该调节一下了！

1993.10.8

无可回避的"双虎"

文化进入了市场，而且不是"统购统销"的市场，而是"随行就市"的"放开"的商品经济的市场，这就难免"文化多事了"。

文化的买方，集体性的少了，如工、青、妇的"包场购票"、"买书分发"之类的做法已极为萎缩，有的地方干脆已无此一举；现在主要是个人消费，个人消费中，文化人的文化消费，以及高雅之士的文化消费，其消费总和在其中只占有限的比例，而低品位的文化消费，倒占有相当大的比例，因而，凡想多谋利的文化商品供应者，必瞄准这一含金量最大的市场，"看人下菜碟"，投其所好，乐此不疲，已成为难以遏制的趋势。

低品位的文化消费，其最让文化管理部门和社会上高雅之士，也包括为数不少的普通人（以中老年为多，有孩子的父母为多）挠头的是，不管你怎么设防、批判、呼吁，总有"双虎"跃现，禁而不止，扑而不灭，此伏彼起，藏而又现，大有"官火烧不尽，铜风吹又生"之势。

何谓"双虎"？

一曰色情；一曰暴力。

这也不是我们中国才有的问题。几乎每一个实行商品经济的社会，都会存在这一问题，不但必会有公开的或隐藏的乃至虽为非法却已并不那隐讳的人肉市场、黑社会，而且必渗透到文化消费中，也不仅是"第一信号系统"的造型艺术或视听文化中有人搞这一套，弄"第二信号系统"即文学的，也必会用文字这一符码，来满足买方的色、暴需求。

这事不那么关乎意识形态，这事更多地关乎人性，人性极为复杂，其间有对色的好慕，也有对施暴和受虐的冲动。所谓文明人、高雅之士，他们有修养，修养即以知识、信仰、道德、社会契约、高尚趣味为藩篱，阻隔、压抑、筛汰、净化人性中的恶与丑、阴暗与狰狞，但社会上有相当数量的人不那么文明，更不高雅，他们就总想找点东西，满足一下人性中对色的需求，乃至于对暴力的欣赏，他们不一定有胆量公开去"做"（他们毕竟也有一定的对法律的畏惧，乃至对道德的被动皈依），于是他们愿花钱买色情与暴力的读物，"意淫"一番，"意暴"一场，既有买方，当然就有人充当卖方以求赢利，上面说了，此乃必然，除非你不搞商品经济。

但虎要吃人，色情的东西看多了，也许就会越过"意淫"的界限，走向实践，堕落为"淫棍"；暴力的东西看多了，也可能就学着那看来的方法施暴；"色"、"暴"二虎同行，那就更不得了，对他人和社会构成威胁，对自己则意味着毁灭。

所以全世界的政府都管这事儿，这与社会制度、价值观念关系不大，这是个组织社会生活、保障所有公民不受色虎（有时称"色狼"）和暴虎侵袭的问题。一般来说，全世界的政府所采取的对策，分两大流派：一派，是严加禁绝，不仅首先是法峻刑重，而且辅之以宗教约束，如某些阿拉伯国家；另一派，是细密立法，对色情行为和色情符号，一是允许在法律的严密规定下存在，二是违者必究，如西欧有的国家允许妓院，但一是要严加审查方能开业，妓女一定要是自愿的从业者，要定期接受健康检查，并一定要课以重税，妓院就是妓院，集中在指定地区（所谓"红灯区"），不许取隐讳的名字，如"伊甸园"什么的（性商店也一样，要一目了然），否则以"欺瞒罪"取缔（因不许让有的不知底里的人误入，消费者被非自愿诱入，消费者可以控告）……色情声像制品和印刷品只能在指定的地方指定的商店或货架发售，不许未成年人买，当然更不许卖给非成年人，买者不允许在公众场合展玩这些东西（因需保证不想看的人"眼净"，否则可以控告买者；在私人空间中则随你宣泄）……当然他们也有执法不严、执法机构贪赃枉法的一面，不过，大体而言，是采取了容忍一定程度的"合法色情"的办法，来对色虎加以限制；对暴力这只虎，那一般都是行为严禁，对"暴力符号"的限制也比对"色情符号"的限制苛刻；对"第二信号系统"（即文字）方面的二虎，那一般都比较宽，但也不是完全任其腾跃咆哮。

我国处在朝市场经济大转型的发展进程中，文化市场一下子面临色、暴二虎袭击，各方面都有点猝不及防。虽不断地发动"扫黄"，但缺乏明确的法律标准，也未形成有深度的社会舆论监督，所以尚未形成一个良性的文化生产和消费的新秩序。

先说对待色情，究竟是取某些阿拉伯国家那样的办法，还是借鉴某些西方国家那类的办法？我们很不明确，我的意见，是起码在印刷品这个范围内，可参照后者的办法，结合我国国情，加以立法。

其实，就我国目前的文字读物而言，已出现了多层次的情况，仅我所见，已有下列各种：

（1）纯粹诲淫。直接表现性交，描写性器官及其动作。文字恶劣不堪，甚至白字连篇，狗屁不通。

（2）主要写性或以其中的性描写为招徕，多是些明清以降的三四流、四五流的旧小说的粗糙翻印。

（3）大体上还是有一些社会性内容，不都是写性，但其中写性的部分是明显的色情描写。这类的书并无太大的参考价值或文学价值，出书者推出无非是为了赚钱。

（4）是文学创作。首先是古典作品，如鼎鼎大名的《金瓶梅》。有一种观点，是写性写得有一定的社会学、伦理学、人类学、行为学和人性的深度，那么，就不再是色情作品，而是情色作品了，"色情"和"情色"，虽同由两个一样的字组成，却大有区别，前者是景阳岗之虎，后者是动物园乃至马戏团之虎，一会噬人，一供人研究欣赏。

（5）当代作家的严肃创作，或涉及性，或竟专门写这一题材，暂时可能不为大多数世人理解，而后人或会认为是中国的劳伦斯及《查泰莱夫人和她的情人》。其是否为严肃的追求，也并非无标尺可衡量。当然，这样的作品也就是当代的"情色文学"。

（6）创作动机不纯。又想弄文学，又急着想卖稿赚大钱，其作品严肃未有余而色情挑逗颇足，想以参禅悟道为标榜，却又禁不住对色情描写特别是性器官交媾描写的低品位自娱；总之是成分杂驳、良莠互见，介乎"色情"与"情色"之间。

怎么办呢？禁哪些？限哪些！罚哪些？放哪些？看来，除了（1）必禁，（2）、（3）应限，其余的，恐怕很难遽然表态，要立法，也谈何容易。

虽难，"擦边球"太多，两可者颇众，含混者不少，一刀切不妥，却也只有立法，才能有个公认的"游戏规则"，大家才能既"好玩"而又不至于"玩坏"、"玩栽"。

以上说的是关于色情。

对色情，当代多数中国人都很敏感，所以有"扫黄"之说，但对暴力这只虎，当代中国人似乎就比较麻木了，其实，相比而言，暴虎危害性更大，特别是对青少年，如中此毒，很容易就被吞噬，所以，我主张不仅要"扫黄"，尤要"扫暴"，在立法时，对暴力符码的限制，应比色情符码还要严苛才是。

立了法，当然也还是有空子，有空子就有人钻。这也很正常，目前人类的平均水平就这德性，不要一想到这儿就犯躁，恨不能又砌高墙。还是别砌高墙，还是安栅栏的好，栅栏就是法，哪国的法都有空当，但栅栏基本上能把虎挡住，不让它随便吃人，普通人又能看虎，又不被白白吃掉，岂不有趣？

1993 年 11 月 21 日绿叶居

热眼太多冷眼少

以前在计划经济下面，文化产品讲究推荐，许多至今令中、老年人难忘的文艺作品，都是当年组织上推荐的；如今虽也有推荐，却没那么大法力了，如今文化产品讲究推销，推销有直接推销和间接推销两种方式。

直接推销，有许多的手段。正面说这个作品如何好，是最笨的，因为这很费事，必得介绍其内容、特点，而其前提，是起码得把那作品仔细地看看；一些帮着推销的"托儿"，因为大都不止推销一种产品，所以大都懒得真看，尤其无暇细看，所以，他们很少用这个笨办法；不笨的办法，很多，略举几种如下：如宣告某作品得了七位数以上的稿费，平均一千字一万以上，这是利用时下"以财为尺"的"集体无意识"，让人由"拜金之门"，进入购此作品的行列；再如宣告美国好莱坞来了人，拟拍影片云云，其实并无确实根据，而且好莱坞也有很多拆烂污的电影厂拍了若干一无是处的破片子，这是利用国人中"外国月亮必更圆"的"集体无意识"，来进行导购；又如宣告此作品必会得奖，特别是国际大奖，让购买者觉得自己在购买的同时，仿佛也立即分享了一份殊荣；又再如说作者如何呕心沥血，现已到某风景名胜区或别墅中休养了云云，这是利用读者的同情心和羡慕情，往往也有很好的效果，采取这类推销术的"托儿"，他们可能直到该作品大畅销以后，仍未读过或未细读过那作品。

间接推销，则是自己并不直接写文章发报导，但在下面散布种种说法，如该作者该作品惹出了大麻烦，被人告上法庭啦，该作品被禁啦，挨批啦，原稿失踪啦，引出家庭婚变啦，等等，这种"背面敷粉"的手段，最易构成街谈巷议的内容，也最易被一些周末版、月末版的小报取材，由报纸的记者或投稿者充任"义务托儿"，使该作品形成一时的"社会热点"，这样的"发烧"可能又引出逆反心理，使另一些传媒"气不忿"，于是又发动一些人来讨论，来批评，其结果，是火上浇油，使该作品的名称成为更其响亮的几达于家喻户晓的符号。这个过程，被称之为"炒"。越炒越热，越热越红，红得发紫，甚或成为"龙胆紫"，于是销得自然也就越好；特别是关于"禁"的传闻，可以把其炒得格外畅销，如书摊上明面没有，问到头上，且见真想买，这才从隐蔽处取出，还要搭配别的书，方成交。

在以上的这些推销过程中，评论家的正儿八经的评论，一般都起不了多大的作用。

这种推销现象，是随势而生的，我们不必大惊小怪，更不必痛心疾首。

只是想说，就传媒而言，不要总是眼盯着既存的热点，嚼人家蒸的馍，现在热眼人太多，比如，一个作品炒热了，他也并非"托儿"，甚或对那作品还很有看法，乃至他对别人的炒，也颇不顺眼，但他想搞一个专题报导，也还是热眼看世界，我最近就接到好几个传媒的电话，说是想请我就某已炒红很久的作品"谈谈看法"，来电话者说他们这样做，是为了给那作品"降降温"，所以特别欢迎"批评性意见"；我就对他们说，你们这样做，形同狂热加温，我认识的一个个体书摊的摊主前些天就对我说，他进那书进太多了（多是盗版），已卖不动，他希望"报上狠批一下"，以刺激"购买力"，你们岂不是无形中帮摊主的大忙？

我不反对抓热点，但不同的传媒应在被动地抓相同热点的同时，善于主动抓自己发现的值得报导的事，以形成从自己发源的热点。这就需要有冷眼，善于从冷眼旁观中去有所发现。比如你不满于人家的热，要唱对台戏，那你最好是"换戏码"，开演一出新戏，否则，你等于是帮人家炒；针对人家"好得很"的炒，你搞"好个屁"，当"屁派"，其实也还是帮着炒。不过，具有这样的冷眼不易，在目前的中国，热眼太多冷眼太少。

当然，我更希望传媒在推作品时（无论推荐还是推销），还是能摆脱炒的模式，用认真看过、研究过作品的人写出的有分量或至少是有特点（能生动些，以至别出心裁更好）的评论当做主要的手段。

这应不算是一种奢侈的愿望。

1993.11.21 绿叶居

"五岁小孩"

1978 年公费留学英国的张戎不仅早在 1981 年便定居英伦，而且在前两年便用英文写出了纪实性作品《鸿》，成为一位在西方颇露头角的女作家，她那本《鸿》一度成为畅销书，并使她获得了英国的 NCR 文学奖。这本以作者的外祖母、母亲和自己的经历串联成的非虚构性作品，为什么会大得某些西方人青睐呢？除了别的因素外，其中很重要的一点，就是引起了他们的惊奇。英国《星期日独立报》的马丁·艾密斯的感慨是颇为典型的："《鸿》使我成为一个 5 岁小孩。"就是说，书里所讲述的那些事，是他闻所未闻的。读这本书，对他来说，无异于英国的 5 岁小孩初识 ABC。

《鸿》里讲了些什么呢？据《读书》杂志 1993 年第 11 期所载读讫这本书的冯亦代文章，我们可知，首先是写外祖母如何从小失去天足、被缠成了"三寸金莲"，后又成为军阀姨太太等经历；又写父母如何参加革命，成为共产党的干部，而到"文革"时大受冲击，父疯母忧，等等；她自己则是从狂热的"红卫兵"，终于幻灭而梦醒，等等。这样的一些内容，即使充满了特异的细节，我想任何一个中国成年人，读了或许会浮想联翩、感动以至泪下，却绝对不会目瞪口呆，"成为一个五岁小孩"。

可见许许多多的西方人，他们对中国的了解，实在是低于 ABC 的程度。

我在西方国家访问时，一离开当地的华人圈子和汉学家圈子，就往往碰到使我十分尴尬的局面。我在一篇文章里已经写过，在法国西部城乡南特，同郊区一些人士交谈时，我让他们随便说出 10 个中国人的名字——古今不限。他们十分友好，极愿满足我的要求，可是却怎么也凑不足 10 个，他们说出的几个依次是：孔夫子、李小龙、毛（他们一般不说毛泽东，就像中国人一般不说卡尔只说马克思一样）、老子、陈查理……最可气的是那个陈查理，因为那只是 40 年代好莱坞电影里虚构的一个"中国侦探"！我还在另一篇文章里写到，我在该城的儒勒·凡尔纳博物馆对那位文质彬彬的馆长说，我们中国早有凡尔纳作品的译本，如鲁迅在凡尔纳仍在世时就译过《月界旅行》……那馆长听完微笑着问我："鲁迅——他是谁？"我再补充一个例子：在法国港口城市圣·拉撒尔图书馆，我和许多自愿而来的法国人见面，在自由提问时，一个老太太问我："中国也有报纸吗？"当时我忍不住瞪了她一眼，后来，我始终不愿写到这个经历。

张戎要西方读者注意她这本书，也费尽了力气。她在随着书商同一些西方作家作巡回推销时，往往一到她上场，下面的听众就站起来要离开，于是她赶紧打开一个红布包，露出一样东西来，高高举起，大声对听众说："这是我外祖母穿过的……叫做三寸金莲！"于是本想离开的人便又坐了下来，听她讲些闻所未闻的事，大约其中便有人感到自己成了"5 岁小孩"。

有人可能会问：我们中国大陆作家不是写了好些有这类内容的书吗？但第一，西方人没几个能直接阅读中文书；第二，即使有少数被译成了西方文字，但在西方书海中不过是沧海一粟，而且，一般西方读者也不大爱看从中文译过去的书——他们更欢迎直接用西方文字写出来的关于中国的书。所以，或许张戎的书并不一定有中国大陆作家写的同类书那么精彩，她却有她明显的优势。果然，像艾密斯那样的西方人看了张戎的书，就由衷地觉得自己"成为一个 5 岁小孩"。5 岁小孩感到惊奇时总不免会连连地问：怎么会这样？怎么可以这样？难道这些都是真的吗？

忽然又想到我 1987 年在美国旧金山遇到一位已用英文写了一本中国题材小说的中国女士。她那本书出版后也颇得好评，于是她再接再厉，继续写一本新的。她告诉我，是写 1950 年中国大陆土地改革中的故事。她说，小说里写到领导农民斗地主的"工作队队员"，可是那个英文词儿连编辑也不能接受，于是，她便一律改为"红卫兵"。她说尽管 1950 年还没有"红卫兵"，可是她这样写，一般美国人总算能大体上明白，反正是那么样的一种人，她是把美国读者当"5岁小孩"哄呢。这件事对我的刺激，倒不在那位女作家的荒唐，而是使我铭心刻骨地意识到，我们中国作家用中文写的中国故事，离一般美国人的接受程度是多么多么地遥远。

西方人对我们的认知程度竟如此低下，我们对他们呢？总的来说，我们，特别是年轻的一代，对西方是充满兴趣乃至向往的。两相比较，我们在吸收信息方面是处于超前的状态。不过，有时在西方人看来，我们对他们的认知，那也真是滞后得很。上星期在北京的三味书屋，有一个美国使馆文化处组织的美国华裔女作家马克辛·洪·金斯顿（汤婷婷）同中国作家与读者的见面会，在金斯顿朗诵了她新作的片段后，她接受了中国听众的提问。一位不仅穿着极新潮，而且显然自我感觉上也是颇知西方的中国年轻女士起立问她："美国在'垮掉的一代'以后，又有新的艺术浪潮吗？"金斯顿听了，大有我听了"中国也有报纸吗"那样的问题的表情，因为所谓"垮掉的一代"，是本世纪中叶的文学潮流了，在60年代达到高峰后，早已成为"古迹"，其代表人物要么已经作古，要么已垂垂老矣，而在提问的中国摩登女士心目中，却仿佛仍是一个很新的话题。金斯顿显然感到"一部二十四史，从何说起"，她愣了一下，也就没有把几十年来美国风起云涌的无数文学潮流一一道来，用了几句笑话，把那话题引开去了。

什么时候，我们和西方人之间，才不会像"5岁小孩"那样互相惊奇呢？

交流，交流，交流……

交流应该更多更宽更广更深更频更密！

1993.12.17 绿叶居

请先来电话

前些天，晚饭后，我正做自己的事，忽然门铃锐响，妻正洗澡，儿子正跟请来的教师学外语，我便去开门，还没走拢门边，外面的人不是按门铃，而是用力地捶起门板来，听来惊心动魄，令我极为不快。

打开门，是三个小伙子，劈头便问我是某某某么，我说是，问他们是哪儿来的，告曰北京师范大学中文系；我问他们从哪儿知道这个地址的，其中一个说，如何找到某大楼，如何打听，人家说不知，又如何再努力，终于得知我住这栋楼里，又如何在楼下获得我的门号；他说时，一脸得意，我当时觉得他那表情实在只能称之为"擒获真凶"的大快活，使我很是不快，我便告诉他们，我的生活习惯是只在家中接待事先约定好的来客，我对他们这样侦缉式地跑来，又使劲地捶门，难以接受……

我开门后的反应，显然令他们大为震惊，更大为败兴，他们万没想到，我会是这么一副"嘴脸"；气氛一时难以形容，总之极为不雅，我没请他们进屋，而是自己站到了门外，我很不耐烦地说，我现在有自己的事，而且我现在心情不佳，我不想接待不速之客。

他们就你一句我一句地解释，他们学校要搞课余活动，他们很多同学都很喜欢读我的作品，很是敬仰，所以他们来请我去作一次文学讲座……

我的情绪调整不过来，我心里并不怀疑他们的身份和动机，却板着脸，矫情地问：我怎么能肯定你们是北师大的？怎么能肯定你们说的是真话？你们找作家搞讲座，校方知道吗？支持吗？……他们说有学生证，要给我掏出来，我说不看；他们说搞活动校方是很支持的，我不等他们细说便表示：不去！不想去！大学生的巴掌，是会拍死人的！作家讲什么话，作家是写出文字让人读的人，不是到处讲话让人听的人！

他们只好悻悻地告退，我还不依不饶地说，真倒霉！你们这么闯来，恰碰见我情绪最糟，把我最不雅观的样子，让你们瞧见了……

事后，回想起来，那三个北师大的学生，实在是出于一片热情，就是敲门粗暴了一点，那也是心情急迫所致，绝非恶意，不过，我坚持不接待他们，这一点我不仅不后悔，还打算继续维护我的这一生活原则。

在大都会中生活，个人自享的私密空间越来越变得珍贵，因此，其不可惊扰、不可入侵、不可亵渎、不可窥探的特性，一天天在加深；个人自享的私用时间也如是，岂能让别人随意占用。

不是说个人要自我封闭，更不是说个人不应与他人沟通，当然更不是说个人不要尽可能为群体为社会多作些贡献。

但个人、他人、群体的相处与互动，应有一个好的"游戏规则"。

我以为，欲进入他人的私享空间（一般指住宅），不管是有事商量，还是仅仅为了看望，都应事先约定，获得主人的应允，一般应先打电话，即使那人家里没有电话，也还可以往其工作地点打电话约定，或利用公用电话，实在不行，事先写信也是个办法，万不得已，做了不速之客，按门铃或敲门时都应尽量轻短，门开后，第一句话应是道歉，而不能自恃"我出自热情，出于善意"，便一顿地乒乒乓乓，门开后，便觉得自己当然应该登堂入室，如以不速之客的身份而被主人婉拒或稍留即辞，都应心平气和而视为正常。

我去法国一个小城市访问时，所住旅馆的房间里，有好几本厚厚的电话簿，我翻开研究，发现几乎每家的私人电话都列上了号码，颇令我吃惊；他们的私家电话号码透明度如此之高，但他们不仅极少请外来客到家里吃饭，就是他们邻里、同僚、同事之间，也很少串门，原来他们公开自家电话号，正是为了"有话尽量通过电话讲"

和"用电话约定见面的时间和地点"。我在美国，和一位华裔作家很聊得来，但他是从来不请人去他家的，对我亦不例外。我对他说，你来北京请你到我家做客，他说谢谢，但他绝不说请我到他家坐坐，他是个独身的人，有一栋独立的大房子。我在德国，应邀住在一位汉学家家里，为了我，他搞了一个"派对"，打电话通知了若干朋友，说定了时间，到时候，人们陆续到来，早的早不过5分钟，晚的晚不过3分钟，在举行"派对"的那段时间里，经过精心布置的他家显得异常美丽而温馨，私人空间在暂做共用空间时，展现出另一种面目，但客人陆续告辞后，又恢复为原来面目，这些"游戏规则"，我以为都是好的，适用于世界各地的大都会，属于全人类的共享文明。

如欲到我家来，请先来电话，在约定时间里，我一定热情接待。

1993.12.22 绿叶居

站在《四牌楼》下

有人打电话告诉我："《四牌楼》上摊了！"我吃了一惊。

"上摊"就是出现在个体书摊上的意思，这意味着进入畅销的行列，我不太相信。这本《四牌楼》是我在写完《钟鼓楼》后就着手创作的，1986 年动笔，1987 年、1989 年两次辍笔，1991 年毁去三分之二已写好的稿子，重弄，1992 年终于完成，1993 年 6 月上海文艺出版社第一次印刷。

现在印好的书上，封面下有四个句子："对清白灵魂的大拷问，对离合生死的大彻悟，对芸芸众生的大悲悯，对极左路线的大控诉"；现在我望着这四个句子，惴惴然。周围的世道越来越物欲化，人们关心的如何发财，或在发财的奋进中希望得到片刻的刺激、一时的放松，还有几多人关注灵魂的事？更何况我还要"拷问灵魂"，而且是"拷问清白的灵魂"！"离合生死"在现实中越来越成为家常便饭，他人暴死于前而无动于衷，反目成仇而毫无内心悸动，已是各家报刊特别是"周末"、"月末"版上常见的内容，还有几多人愿去求得个"彻悟"呢？别逗了！人们爱看的是曼哈顿富婆或娶洋老婆为妻的故事，人们渴望大发、暴发、横发，发不了也且看个黄金梦，你又来什么"芸芸众生"，贫不贫！"大悲悯"更是浪费你自己的情怀！这是一个不管生活中有没有，而纸面上绝对不需要悲剧的时代！尤其是你写的那种"形同无事"的"默默的悲剧"，写它干什么？至于什么"控诉极左"，更得给你一大哄！文学不管那号事！

　　但不管怎么说，我就这么写了，我的心让我这样写，我的心太古典了么？我的心太让我十多年贯穿下来的那根人情、人性、人道的线牵拽了么？是的，我有我独一无二的个体生命，有我独特的人生体验，有我不愿舍弃的良知积淀，有我愿持之以恒的艺术追求，当然，我自认也有新的观念渗入到了我的生命本体，也有对人情浇漓、人性幽暗、人道沦丧的新体验，也有越来越趋冷静的艺术思维，也有越来越自觉的建立我自己独有的"符码系统"即"本文"的努力……但到头来我写《四牌楼》时是甘于寂寞、甘于被冷落、被误解的。我这么说，并不是标榜自己清高，其实我的另一面也许更浓酽；我不仅喜欢名利，而且有时甚至于不拒绝虚荣，我希望得到高稿酬，我给一些主要是高中女学生花钱买的花花绿绿的软性刊物写文章，以使十几年前才出生的一代也记住我的名字，我在一些电视节目里露个十几秒至多几分钟，有的我自己还在播出时把有我的那一段录下来……我说过我"著书都为稻粱谋"，我是很俗的一个人，但是没办法——我也还是忍不住要在温饱有余，又有出版社支持，特别是在有修晓林这样的能理解我的责任编辑的具体操持下，写出一本"能出就好的"《四牌楼》，以求得自我灵魂大欣悦、艺术追求大舒张，在"雅"的王国里过一把瘾而依然健在！

　　可是忽然不止一个人告诉我，北京一些个体书摊在卖《四牌楼》，它竟并不一定寂寞，我站在自己搭建的《四牌楼》下，于惶惑中抖擞起精神，也许，我的第三座"楼"——《栖凤楼》，该开笔了吧！

1993.12.26

追星无族？

　　最近传媒中有不少对"追星族"的规劝，开始，大抵是针对中学生们，但很快就有一些中学生站出来叫屈，他们说：我们中间只有极少数像你们所说的那样，什么非要冲过去跟歌星接吻啦，发狂地尾随在歌星身后如痴如醉啦，把歌星的档案材料包括"拍拖"对象背得溜溜熟啦……其实我们的绝大多数是作业压身、考试悬顶、疲于功课，哪里有追星的时间和心情！你们说某香港歌星演唱会举行时，场外有好几百的"追星族"在那里等退票，又是情绪激昂地等着歌星离场后好冲上去请求一个签名，你们怎见得那几百人都是中学生？就算是，全城的中学生有几十万，那顶多不过百分之一二，怎么能以偏概全？

　　中学生们的叫屈，引出了传媒中一些记者和编辑的自省，他们说，中学生们是怎么追起"星"来的？还不是因为我们传媒一个时期以来，浓脂艳粉地"捧星"吗？那些"星档"我们要不登不播不吹不擂，中学生们能那么"门儿清"吗？与其说是中学生里有"追星族"，不如说是记者编辑里有"追星族"！

　　但也很有一些记者、编辑对此种"自揽责任"的说法很不以为然，一位记者对我说：很多港台歌星是官方名正言顺地请来的，当地各级头脑还接见他们呢，我跑文化新闻的，不予报道岂非失职？一位报社"月末版"负责人对我说：我们这份专业性报纸靠平日出报，根本没赚头，有时拉不上广告还赔钱，上级主管部门是越来越不想投钱，让我们自负盈亏，自负盈亏就得遵守市场规律，什么好销登什么，我们自己又不能直销，只能靠发行商，发行商有时他要看了我们大样才定要数，他就是要奇闻异事，耸人听闻，"色"一点而不至于栽进"扫黄"的范畴，"暴"一点而尽量挂"法制"招牌，至于"明星高悬"，那简直是不可或缺的，犹如吃粤菜，不能没有"生猛海鲜"，也不能不先上一壶热茶……实践证明，这样的版面零售时也确实比较好卖。

这样说来，"追星"的根源，不在下而在上了。有人说，现在的"群星狂舞"，哪个不是因为有人出大把大把的钱把他们抬起来的？"星"们所得的巨额出场费，在很多情况下并不取之于零售票的款项，一处地方，为了"文化搭桥，经济唱戏"，搞一个与本地特色有关的什么什么节，为了壮声势、丽门面、添花絮、提档次，地方官往往气派雄壮地对"组委会"的人点着"星名"说：你们把谁谁谁、谁谁……给我请来，高价就高价，要从大局着眼嘛，花了一百万，请到了大明星，吸引的客商多了，一家伙落实了一亿几亿的投资，你们说划算不划算？……当然地方财政上是不出这份"星俸"的，谁出？向地方上的企业摊派，企业为了搞好和地方官们的关系，或觉得也确可从中得利，至少可以连带着大作广告，进一步鲜明企业形象，于是掏钱；因为这类做法在这几年中几成各地通例，"文化搭桥"的什么什么节在中国大地上已绝对超过了一日一节，于是各类"星"们忙得不亦乐乎，价码也越炒越高，港台的"星"与吸引投资似乎联得更密，所以价码更往"天文"上靠。

于是有人"寻根究底"地寻到了企业，追究起经理们煽动"追星热"的责任，可是企业的经理们也像中学生般地叫起屈来，一位大企业的经理对我说：地方政府搞活动，目的是繁荣地方，你说我们能不"有钱出钱"吗？我们也弄不懂，为什么他们组织者要切下那么多的"肉"去给通俗歌星什么的吃？我们出钱支持的是整个活动、所有的节目，怎么能说我们是"追星"？！

这样绕了一圈，真有点"不说还清楚，越说越胡涂"了。

其实，冷静下来一想，所谓"星"的冉升、"追星"现象的出现，概由于一只"看不见的手"在中国大地上游荡，这只大手就是市场经济，在市场经济的范畴里，一方是群体的购买欲望，也就是一个潜在的俗文化市场，另一方是一个寻求畅销的制作者，也就是一个急功近利的卖方，所以，文化既进入了市场，就必定有"造星者"、

"捧星者"、"销星者"出现，也就必定有"迷星者"、"追星者"、"购星者"出现。在转型期中，因为许多有关的"游戏规则"都来不及健全，所以现在大家都感觉到了"星"的卖方的离谱与买方的荒唐——当然，并不是全部如此，但已出现的现象确达到了令人瞠目结舌的地步。

怎么办？我以为不是找出一个明确的"追星族"来打屁股就可以了事的，遇到麻烦就从人群中找些"替罪羊"，是"以阶级斗争为纲"的思维定式，应予摒弃。解决问题的办法，首先是健全法制，使各种品位的文化在市场经济中能各得其所，各有所获，并对通俗明星的包装、推销、酬金、税率找到一个合理的尺度，这样逐步调适，再辅之以其他的手段，包括教育、道德、伦理、传媒的正确引导，相信那时必然还会有"星"，也还会有所谓"追星族"，但都只不过是社会一隅的不足为其生忧的景观罢了。

1993.12.18

一束追光

前两天看电视，偶然看到一个叫"追光一束"的节目（是某个专题节目中的一个小栏目），记者采访北京人民剧院一位女演员，她在谈自己演艺生涯的过程中，不知怎么就提到了他们剧院一位男演员不久前在广州自杀的事，不禁黯然，荧屏上也就穿插了一个该演员与她在某剧中的剧照镜头，当然是一闪而过。那位眼睛潮湿的女演员说："……他，也可能是因为觉得，自己所追求的，总没追求到……"我感觉，女演员的神情中，不止是对逝者的惋惜，也蕴含着对自我的惘怅。

"追光一束"，这栏目的立意，也许只不过是表明，它所介绍的是舞台演员而已，因为在舞台演出中，追光一般总是耀射着导演所强调的人物，即使不是主角，也该是某一幕某一场中起关键作用的角色；舞台上追光的运用，大体等同于影视中的特写镜头；但在"追光一束"这个电视栏目里，被采访的舞台演员所展示给电视观众的就不仅是他们所扮演过的角色，而是他们真实的人生，于是我们看电视时，也就很容易由彼及己，联想到我们自己。我们，不管所占据的生活舞台多大，一般来说，也都渴望着成功，渴望生活的"追光"能耀射在自己身上，虽然我们口头上，乃至理智层面上，也许确实谦逊、谨慎，不做"出人头地"之想，但潜意识里，一般都是隐伏甚至奔涌着对"追光"的向往的。"追光一束"这个栏目，在这样的"解读"中，也就有了命名者始料未及的深层效应。

那天那个节目里，女演员所提及的自杀者，叫任宝贤。"他演过什么？"这不仅是任宝贤即使死掉依然会遇到的问题，也几乎是我们每一个人在生活舞台上都会遇到的问题。常常是，我们提及一个老同学、老同事、老邻居、老相识，于是总有人问："他（或她）现在怎么样？"甚至会在"怎么样"之前加"混得"两个字，当上局级干部了吗？升到副部级了吗？上下班是什么车接送，皇冠，奥迪，桑塔纳？有高级职称了吗？出几本书了？出几次国了？发多大财了？住几室几厅？儿女可在美国，日本，澳洲，欧洲？……或者没这么高的标准，但所射出的，一定是一束"追光"，我们提及别人时如此，别人提及我们时也如此。庸俗吗？没办法，我们，绝大多数的世人，都庸，都俗，我们希望自己在追光下是令人尊重及至艳羡的，我们也希望别人如此吗？一般来说，我们总是希望别人"也好"（即与自己持平），或不那么好（可立即倾泻浓酽的同情），如别人的境遇好到我们自己高不可攀的地步，那么，我们便一不会嫉妒二不会向往，但我们也许会乐于频频提及自己所知的该人出道前的种种轶闻趣事。

任宝贤不消说演过很多的角色，有的角色塑造得很成功，但是，很遗憾，一般人记不住这个名字。尤其如今，如今是"大腕"和"大款"主宰传媒的时代，红的更红，紫的更紫，有的达于"龙胆紫"，传媒还要更用劲地把他那"符号"嵌进你的脑海，即使你反感，到头来你还是记住了她或他的名字。他们与你的意识同在，甚至不以你的意志为转移！

我不认识任宝贤，他的自杀，也许有永难解释的原因，有纯私密的因素，但从那位女演员的片言只语中，我总感觉，他那"没有追求到"的悲剧心理的形成。我们，一群庸人和俗人，我们总是热衷"鲜花着锦、烈火烹油"而吝于"雪中送炭、吹尘见璞"的世风，所构成的氛围，也起着隐形的作用，这也许是没有办法的事，这里所牵扯到的，是一些超意识形态的东西，普遍人性的东西（中外古今皆然），念及此，我心中不仅惆怅，而且充溢着一种大悲悯。

我悼念这位不相识的演员，这位至死尚未被公认为"大腕"而且也未能在影、视、歌、剧"四栖"的演员，这位也许他内心早已认为自己不亚于公众追光中的"大腕"、却得不到传媒追光耀射的演员，或是他焦虑于自己已无希望成为"大腕"而终于失却信心的演员；在对他的悼思中，我寄托着什么？是劝慰自己，不要如他那样，对经过认真努力挣扎奋斗所能获得的实归之名、实至之利，过分地执著？还是鼓励自己，在漫漫的人生道路上，继续地承受不断"边缘化"的处境，把追光的不再追己，视为常态？

保罗·沙特说："他人即地狱。"其实，他人的眼光犹如"追光"，只容得下"摩登宠儿"，不将未成功者及平庸者、失败者收入视野罢了。中国人的习惯说法，是"势利眼"，"势利眼"虽可恶，却也还谈不到如地狱般可怕。过去，有"人言可畏"一说，阮玲玉还因此而弃世，现在却似乎是"人无言更可畏"，尤其是渴望成功的演艺人员，演了半天，谁也不置一辞，连喝倒彩的都没有，闹到最后，台上台下都无追光，于是也有弃世的。可见"追光"这东西，很有点追魂索命的杀伤力，我们对它，都该求之勿执、失之无惜才好！

1994.3.9 绿叶居

草原的星空

　　时常冥想：晴夜，仰卧在草原上，看无际的天宇穹窿上那闪烁的繁星，该是多么惬意的事！宝钻般的星星，有的大而艳，有的小而亮，间或还有曳尾一划、过眼入魂的火流星，那星空的奇美，美在丰富，美在多样，也美在缥缈，美在神秘，其中有永恒之璀璨，也有瞬间之瑰丽；每颗星星，都在搔首弄姿、孤芳自赏吗？都在望着别的星星惊叹吗？嗤笑吗？每颗星星都有其存在的天理，都有它的兴衰明暗、生死歌哭、遭合际遇……望星扪心，这攘攘人世，历历悲欢，我们每一个生存主体，可也有星星那般潇洒？我们人际间可也有星际间那般肃穆宁静？这时就企盼：愿世人的心胸，都能吞入星空，在大领悟大悲悯中，达于彼此的大赦免大交融，最后接近那份终极的欢乐，一如贝多芬《第九交响乐》《欢乐颂》所泄露的天机！

　　因自己有这样的冥想，并发现这人间也还有别的人大体进入在一个境中，所以相信不管身外发生了什么事，艺术、文学是绝不会泯灭的；撰写文学作品，并欲将之公之于众，寻觅哪怕是仅有的一个知音，永远是一部分个体生命无须解释的精神需求；而有同样生命悸动曲线的出版者，他们的热心编辑出版，亦无须有繁复的语码来解释。星星与星星距离动辄以光年计，尚且可以相望生情——如牵牛与织女，何况我们摩肩接踵、耳鬓厮磨的人乎？

　　这一套《北国青年作家丛书》的出现，其自然而然，其令人欣喜，其无足为怪，其大有意味，其不必苛求，其星等不一，其恒星藏焉，其流星蓍灿，其生逢其时，其未躬极盛，其仁者见仁、智者见智，其知音必有、寂寞难除，明乎上理，也就心安理得，其乐融融了！

阿古拉泰兄弟让我为这一套草原弟妹的作品集做总序，我一提笔，草原晴夜天宇穹窿上的宝钻般星光便灿灿地闪动在我心际，而当我一泄胸臆写下上面一些话后，便仿佛又伫立在白日艳阳下的草原上。那极目四望的绿毯上所烂漫开放的斑斓野花，不也是星星吗？天上地下，无处不在容纳多样的生命、奇诡的形态、浑厚的内涵，我们的胸臆，难道不应与之呼应，从而对之欢呼、雀跃吗？

我或许也算一颗星吧？在沉重的运行中，我因浊气的摩擦而燃烧，正变为流星曳尾下落么？我或许，也算一朵花吧？在忘情的开放中，我胀得过圆，终于释尽了雄力，就要萎皱么？念及此，我不是悲从中来，而是心臆大快——我绝不做"枯鱼过河泣"，我要召唤愿做星、花的弟妹们："鱼戏莲叶东，鱼戏莲叶西，鱼戏莲叶南，鱼戏莲叶北！"

是的，这就是我为《北国青年作家丛书》写的序，虽是应命而写，且是一挥而就，但这一串串的字符确是从我灵魂里流出来的。我也惊异："心有灵犀一点通"，这天理真昭昭不爽啊！愿读者们读这些作品时，亦有此种感应！

1994 年 3 月 19 日

炎夏清凉话

　　是的，这炎夏溽热中不仅出现了蚊蝇蛆蚁、疥癣疮痈，也出现了薄情寡义乃至污言秽语，我们是多么期望清凉的和风阵阵地吹拂：自然界那起于青萍之末的和风，以及人与人之间那起于良心深处的和风……

　　骄阳烤炙着都市那主要由水泥、钢铁、玻璃、塑料、柏油等构筑成的风景，在一个又一个布置得雷同的方盒子里，热线里滚动着语言的波涛……是的，我听见了，听得很清楚，是一个男人有点疲惫的声音："……我觉得该想一想了，我们是赚了很多钱，并且，我们是遵守游戏规则的，可是，我们这样忙来忙去，究竟为我们这一方水土，增加了什么实实在在的好东西，造福于满街普通人的有用的东西？……我们该想一想了！……"

　　制冷技术使豪华的购物中心与溽热绝缘，在一个开放售货的旋转衣架前，一位显然是头回伸手取衣的"外来妹"不小心把衣服掉到了地板上，售货小姐过来弯腰拾起衣服，是的，那是真的，我分分明明听见她对不知所措、等待怨责的"外来妹"小声说："没关系……慢慢就适应了……原来我也慌过的……"她的脸上，真的绽开着一朵善意的花……

　　这里还转动着半旧的电扇，天边紫红的晚霞把余光斜铺进他们不大的房间，意味着明天仍是一个高温天气，但是，我确确实实看见他们一家人围坐一起，并听见那鬓边刚刚染霜的父亲蔼然地建议说："今天我们不看电视，我们一起读十首唐诗……"是的，那是真的，当霓虹灯的闪光替代了晚霞的绚丽时，从他们那窗帘飘动的小窗里，传出参差不齐然而非常动听的诵诗声："……芳树无人花自落，春山一路鸟空啼……"　"……

独上江楼思渺然，月光如水水如天……"

在环城路上，隔离栅两侧，一边是白色前灯的光流，一边是红色尾灯的光流，在那辆已经老旧的出租车里，司机一边开车一边同旁边的搭客谈心，是的，不是一般的交谈，而是谈心，胖胖的乘客说："……晚上如果往城外跑，跑很远，那样的生意，你也做吗？你能有安全感吗？……"精瘦的司机说："只要说定给回程空放费，我愿意去！能多挣呀！我是不怕的……唉，可是我多半也会拒载，他就是打举报电话告我拒载我也不在乎！……我那媳妇，晚上过了十一点没回去，她就死活要胡思乱想……你知道吗？她那个……都七个月了，哈，那也是我的！据说，国外有个新说法，怀孕要由夫妻俩一块儿怀，不能分开太久，最理想是每天分开顶多十小时就又合拢……如果这十个月里总分开，生出来的无论姑娘小子，那性格上多半就都会出问题……""是吗？"胖搭客很认真地替司机盘算着："既然这样，你真是别怕拒载举报……你晚上十点半以前一定回去，你们两个，不，你们三个，应该一起听音乐，别听摇滚，也别听太深奥的，要听温柔的，明丽的，透明的，像丝绒一样的……"

……是的，在这炎热的日子里，我听见了这样的一些话，一些充满理性的话，一些睿智开通的话，一些浸透真情的话，一些饱含善意的话，一些清溪潺潺般流淌的话，一些氤氲着人情芳香的话，一些诚挚悔悟的话，一些清新幽默的话，一些如诗的话，一些如歌的话，一些质朴的话，一些憨拙的话，一些稚气的话，一些成熟的话，一些生动的话，一些活泼的话，一些清晨的相互勉励，一些深夜的扪心自问，一些有意的和气，一些无意的慰怜，一些柔声细语，一些豪壮之声，一些出自锦心绣口，一些升起于灵魂深处……

那确确实实存在，我捕捉，我倾听，那些炎夏里的清凉话，超越于混沌与污浊，驱散着烟雾瘴气，如习习的和风，廓涤着我的胸臆，强劲着我的希望，充实着我的生命，激发着我的创造！

耳朵不仅长在头颅两侧，更存在于我们心间，听啊，听啊，在这炎夏溽热里，用我们的"心耳"，听那清凉的爽人话语……

1994.6.12 绿叶居

海上留痕

对于我来说，上海是一个不寻常的地方，外滩那巍峨的天际轮廓线，南京路的万丈红尘，以及越来越呈现出欧陆风情的淮海路，永远焕发着传统魅力的老城隍庙，还有新建成的杨浦、南浦大桥，以及这里那里冒出的星级饭店和豪华购物中心……固然都引发出我许多的惊叹与感慨，但，我重游上海，心中时时浮出，并浓酽稠厚的念头，却是：这是鲁迅度过他最光辉岁月的地方，是傅雷曾经生活并体现出人格尊严的地方，是巴金长期居住并不息地耕耘收获的地方……是的，上海在我心目中是一座文化都会，虽说我长期生活在北京，我的创作，甚至被一些论家定性为"京味"，属"京派文学"，似乎与上海孕育出的"海派文学"不搭界，可是我扪心自问，却从未有过"京""海"间的隔阂感，而上海文化界对我的支持与鼓励，更显示出这座海港城市博大的胸怀与兼容的胃口，特别是这几年来，有人说我是"稿件东南飞"，其中很多稿件确实是自觉地投向了上海，比如说我的长篇小说《四牌楼》，就给了上海文艺出版社，这部在寂寞中完成的作品，不仅在上海顺利地一版再版，而且，还颇出乎我意料地获得了上海市第二届长中篇小说优秀作品大奖的二等奖，出版社在颁奖期间组织了一次签名售书活动，两个多小时里，买下《四牌楼》让我签名的上海人络绎不绝，我想，未必是我的书写得有多么好，实在是上海有着许许多多颗爱书的心！

也许是因为做客，受到热情接待，所以不由得戴上了玫瑰色眼镜。其实，我这样地看待上海，更深层的缘由，是颇私密的。我的祖父刘云门，本世纪 20 年代末 30 年代初，曾任上海公学校长，这是一所进步的学校，收容培养了不少大革命失败后处境艰难的热血青年；祖父曾在那里完成了他的一部社会科学著作《人类命运论》，送到了商务印书馆，书馆已排定出版计划，却忽然爆发了"一·二八"事件，日寇的炮火摧毁了商务印书馆，祖父的书稿荡然无存，最令我们家族悲愤的是，同日，日寇的炮火偏又击中了祖父所住的医院，他和病室的同胞，一齐遇难，在上海这座城市，埋葬着我祖父的骨灰和书灰，并且没有确切的痕迹能以指认。一轮花甲过去，当我在上海街头踽踽独行，想到自己血管里流动着祖父传下的基因，那里面有对舞文弄墨的痴迷，有对书这种印刷品的不能舍弃的追求——记得有一回在宾馆里实在找不到书读，我就把那案上的台历捧读良久——真百感交集。如今我在上海报刊上发表了许多文章，也在上海的出版社出了好几本书，祖父的在天之灵，该额首微笑了吧？

领了《四牌楼》的奖后，上海图书馆提出，拟收藏我这部长篇小说的手稿，这真令我受宠若惊。在庄重而简短的仪式上，我递上厚拙的手稿，馆长亲手发给我捐赠收藏的证书，一刹间，我感到创作的快乐莫过于得到尊重，而且，大上海，这中国现代文化的发祥地，其对我的勖勉厚爱，只不过是其吞吐自若的海洋风范的又一例罢了。浩浩泱泱的大上海啊，愿你的文化气概，随岁而增！

对我来说，上海是一本大书，能在这本大书上留下一点自己的痕迹，真是我人生之旅与文学之旅的幸运与幸福！

1994.7.8

甜蜜的尴尬

忽然接到福建来信，好大的一个信封，打开，里面折放着好大一张宣纸，正惊疑间，从宣纸中掉出一张信纸，忙拾起展读，这才知道是老前辈郭风寄给我的。

郭风老前辈是散文大家，一生淡泊名利，为人忠厚，只是默默地在一角园地中从容地耕耘。他的来信，开门见山地说："在《中国作家》上看到您的水彩画，格外高兴，一如您的小说和散文，您的画也显得才华横溢；这是当代的文人画，甚可喜。我于 1936 年结婚时，曾定制龙眼木的镜框四只，此物近日有人从家乡莆田送到福州，我希望您能为镜框作画，以便悬于客厅，不知可否？打扰处，甚望鉴谅……"

读了此信，我首先是极度尴尬，我虽偶尔画一点水彩、油画，但那是绝对地自己散闷玩儿，我没有受过水彩、油画的正规训练，我只不过是喜欢看画，也不一定都到展览现场去看原作，就是刊物上、书籍上印来的画，也常常翻看良久。另外我从小就爱在纸上涂涂画画，后来成了种习惯，兴之所至，便画上几幅，有的，是在家里凭想象画，有的，则是到户外去写生，有的，很写实，有的，则随兴抽象，总之没当做正经事儿，画完了，摆两天，也就撂了，保存下来的，很少。

我从未想到发表自己的画。有的作家，不是一般地画画儿，他根本就是兼为画家，有的虽还不一定称画家，但是专门拜过师，正儿八百地练过基本功，一笔一画都是有讲头的。我的画，好比"野狐禅"，怎么能进入正经庙堂呢？

但有朋友知道我画画，看见过我的几幅画儿，于是便问我要画。回想起来，我真送出去的画，实在没有几张，现在马上说得出的，一张只有"小人书"那么大，画面竖向，画的是一位女子倚树而立，似在沉思，以剪影方式处理，背景则是北京大学的未名湖，远岸有那古典密檐式的水塔，与霞光一起倒映在湖波中，这张画是我主动送给宗璞大姐的，她一见就知画上的女子是她，但评论说："不像。"这画有十多年了，不知她还保留着吗？另外，1992年秋天，我住的安定门南边，街上一个搞复印的小伙子结婚，因为我总去他那儿复印东西，熟了，他不知怎么从一本杂志的专访里知道我画画，因此问我要一幅画，说挂在洞房里，我就从原来画的写生水彩里，拣出一幅天坛祈年殿，有四开大，拿去给了他，当时他看上去确实很高兴的样子，说一定要专为那画制一个镜框，还邀我去喝喜酒，但我后来没去，再后来那复印部关门了，也不知我那幅天坛写生，如今是还挂着还是早给淘汰了——如淘汰了，很正常，不可惜。

如果把小幅的自制贺年卡也算作画，那近几年我很送出了不少，这些贺卡大的不过有如时下的标准彩扩相片，小的，也就扑克牌那么大（不过是双折的），上面或用水彩手法，或用钢笔淡彩，或用干油画棒，或就用油性彩笔，注重装饰趣味，配之以年节时的吉利话；我绘制时，因人而异，互不雷同，那过程，其实也是享受亲情、友情的过程，寄出后，反馈予我的，也多是人间的挚情，真是一桩快事！比如，今年春节前，我给冯亦代、黄宗英伉俪寄去的贺卡上，画的是两把富抽象意味的雨伞，伞罩相交，伞的弯柄，互相朝里相亲，伞上是粗粗的雨滴，他们得到后，非常高兴，后来还让一位小朋友拍了一张合影反馈给我，合影中，黄宗英笑吟吟地把我绘的贺卡，持竖在胸前；我在圣诞节前给美国友人薛仁望、李黎夫妇寄去的贺卡上，则是钢笔淡彩勾勒出的一双合十的人手，手旁是丛聚的绿叶，背景上是晨光般氤氲的水气，他们收到后，很感动，因为他们自爱子突然夭折后，一直有种仰望苍天的情怀，我为他们的设计，正合他们的心境。

万没想到终于还是把画拿出去，公开发表了出来，也真是没有办法，《中国作家》的副主编章仲谔是我的老熟人，他跑到我家来，被他纠缠不过，只好由他挑走了两幅，一幅是具象的风景写生，一幅是抽象的，题为《灵魂之Ⅱ》，是我有一回一连画出的五张以"灵魂深处"为命意的水彩之第二幅，这样画水彩画，行家肯定要发噱的，但好在我坦率地承认本在美术门外，所以既印出来了，也觉得好玩，而并不脸红。

郭风老前辈看了《中国作家》今年第一期上我的两幅水彩，说是"才华横溢"，自是偏爱而生的过誉之辞，但他说要为1936年结婚时定制的龙眼木镜框配一幅我的画，这令我在尴尬之余，又感受到一种人间的温馨挚情，因为1936年我尚未出生，那时已是散文家的郭风先生，为成婚所定做的龙眼木镜框，该是他个人生命历程中最私密也最牵动心灵深处情愫的纪念品，而且，从来信中可以想象出，这四只龙眼木镜框，一定经历过半个多世纪的沧桑，原来所装入的画幅，已荡然无存，直到郭风先生逼近耄耋之年，才终于又重逢于福州，他欲将其再次充实起来，一定不会轻率选择作画者和画幅的情调，而在看了杂志上我的两幅水彩后，竟毫不犹豫地要我为之提供一幅，"以便悬于客厅"，这份信任、厚爱，真带有浓酽的童心色彩，因为据我想来，以郭风老前辈的资历、地位、成就、辈分、修养、品位，他都是完全可以向真正的画家乃至于名家大家要画，镶在那古色古香的龙眼木镜框中，悬挂于他那想必是宽敞雅致的客厅中，何至于来要我的？更何况我们是如水的淡交，十几年前一晤后几乎再无联系，却不想忽然看见了《中国作家》今年头期的封二，忽生不带任何杂质的喜悦，忽来一信开门见山地让我为之提供一幅拟悬于客厅的大画，这对近几年中经受了不少势利的白眼、嫉妒的排斥、无端的攻讦，而往往内心里只充塞着对人性恶的惊悚的我，无疑是一斛清凉甘洁的泉水，令我在感动中，既尴尬，又甜蜜。

我一定要为郭风老前辈用心地画一幅大画，在这幅画里，我要尽力表现出这样的一个意蕴，就是在人世的边缘，有些良善的美丽的安谧的东西，能给予我们个体生命巨大的慰安！

1994.7.24

弹性美

健康的皮肤，应是富于弹性的皮肤；健康的肌肉，应是富于弹性的肌肉；健康的四肢，应是富于弹性的四肢；健康的脖颈，应是富于弹性的脖颈……你还可以顺着这个思路不断地下断语，总而言之，富于弹性的胴体，是足以自豪的，那不仅标志着健康，也体现着生命的瑰丽。

医生常用对人体有否弹性、其强弱程度如何的检验，来判断人的生存状态和健康状况。许多的治疗方法，许多的锻炼方式，许多的美容手段，归根结蒂，都是为了恢复、加强人体的局部或全身的弹性。

生命的奥秘，也集中地体现在富有弹性这一点上。

奥林匹克运动，便是要人类充分地挖掘出潜能，向更高、更快、更强发展，而无论是想更高还是想更快和更强，以及想更远更灵更巧，从某种意义上说，也就是要更富于弹性。

无论是整个人体的弹跳，还是人体的局部的弹动，都是生命的优美韵律。

人与人之间的感情，表达方式中最重要的一种，便是享受彼此的生命之弹性，婴儿吮吸母乳，父母抚摸儿女的面颊，朋友的紧握双手，恋人的拥抱亲吻……

弹性的消失，便是生命的终止，僵硬是死亡的别名。

人的弹性美，不仅仅只体现在肉上。

人的弹性美，更多地体现于灵。

弹性，是一种可贵的气质。

弹性，是一种对必要压力的承担，也是对超常压力的反抗，一张一弛之间，体现出高度的责任感，也体现出充沛的应变力。

不卑不亢，不温不火，不燥不涩，在方圆之间周旋自如。

僵硬固然可怖，疲软亦很可怕，无论身体的疲软还是灵魂的疲软，都是最严重的疾患，疲软往往被愚人误作也是一种弹性，只不过程度较差罢了，非也。疲软是生命的大耻辱，身体的疲软，意识到了，求医问药，或可治愈，灵魂一旦疲软，自我不能警觉，甚或还以"非僵硬"来自欺欺人，以求掩盖其非正义非正直非正派非正当的卑鄙、卑劣、卑贱的本质，那便犹如堕入最黑最黑的深井，徒然令人侧目、齿冷。

与其在弹性的"反弹力"上，略有过劲之处，也不要在弹性的"承迎力"上，总是趋奉若仆，年轻的生命，尤应如此。

当然，在岁月的历练中，生命的弹性，达到屈时"俯首甘为孺子牛"，伸时"横眉冷对千夫指"，恰到好处，炉火纯青，那就真是开放出最灿烂的生命之花了！

弹性美，应是一种最不必"写"在外表的素质，不形于外而蕴于中，只有当与他人与群体与社会与大自然接触时，才如鱼游春水一般，鱼也怡悦，水也欢愉。

生命之美在于潺潺流动，生命的弹性美在于不息地与自然、自我和他人、社会碰撞、调适。

灵肉是不可分剥的，自觉地增强肉体的弹性，能带动提升灵魂的坚韧；而灵魂的不息迎善拒恶承担责任排除魅惑，亦能帮助肉体维护健康战胜疾病，富于弹性的肉体和富于弹性的灵魂，交奏出人生优美谐和的乐章。

1994.7.26

与书共舞

我的生命史，从某种角度说，便是一部伴书而度的历史。先是老师教我认字，读书，然后从读老师指定的书，发展到读自己选择的书；喜欢的书，成为灵魂的朋友，不喜欢的书，如遭逢乏味的旅伴；当然也曾读过骗人的书，那就像生活中遭遇过扒手，虽然扫兴，却并不会停顿前行的脚步一样，还是继续地读书……后来自己教过学生读书，又试着写书，还参与编书，当然也就读了更多的书……这期间，泡书店、逛书市，买书、藏书，自然都是我生命流程中的璀璨珠串。

不可一日无书，不管什么书，翻翻总是有益的。无聊的书呢？坏书呢？我当然不会怂恿心性尚未成熟的少男少女去翻。但于我，以及像我一样的成年人，我觉得唯有翻过，才能作出判断：这本书究竟有没有价值，大约有几分价值，是正面价值，还是负面价值（即可否充当"反面教员"），或者两方面的价值互见、杂糅……如今世上的书实在太多，有真价值、正价值、高价值的只占很小的比例，所以，一旦获得，真是"如获至宝"，那就要精读、细品。而在读这样的书的过程中，我们的灵魂该是多么的欣悦！对于那些既无正面欣赏价值，亦无负面参考价值，连消遣消闲的作用也谈不上的书，我只好将其视作"文字垃圾箱"，一旦作出判断，必嗤之以鼻，并掩鼻而去！

我取各种姿势读书，在各种情境中都见缝插针地读书。躺在床上读书，是我最多见的姿势。说来也怪，我卧读了几十年，眼睛并未因此读坏，脖颈亦没有读歪，而收获是大大的，真是"大珠小珠落心坎"，快乐无涯。所以我曾著《卧读记快》一文，大抒其情。再者，我每天如厕，是一定要手持书报的。你算算看，光这样的阅读，一生中加起来就有多少次，累计多少时间，排出的是废物，而由眼入心的，多半是有益、至少是有趣的信息，所以千万不要轻视"厕读"。旅行中，也不要辍读。我曾好几次住进外地招待所，临睡时，忽然感到不妙，因为竟忘了带书，或虽带了书却一时不能方便取出，于是，我便从桌上拿起摊开的台历，那台历的每页日期的背面，全有文字，多半是百科小知识，那不也是一本书吗？我便津津有味地翻读起来，居然又一次证明了"开卷有益"的古训。比如说，关于若干食疗的配方，我就是从那样的阅读中，牢记心中，并曾在家中实践过，取得过实效的。

我现在当了作家，自己写书，累计起来，总有五六百万字了，最近还出了八卷文集。我当然希望有人读我的书，不敢说我的书写得有多么好，但我的写作态度是严肃认真的。自己觉得幽默感在不断提升，文字算是比较规范、干净的吧。我近年的小说创作比较注重人性探索，凝聚着比较浓酽的终极思考，比如：我是谁？你是谁？他或她是谁？活着的意义是什么？死亡究竟是怎么回事？何谓灵魂？个体生存与群体生存如何协调？人类生存发展的根本意义究竟何在？……显然，我是一个比较耽于理性的作家，我写的这种书，会有人喜欢吗？我现在不在书里提供答案，因为我实在还没有找到答案，我只是通过活生生的人物的生命体验，在执著地探究，读友们愿与我携手同行，一起探究吗？

读书，写书；写书，读书。我说是与书共生，有人说我简直是与书共舞，好吧，我就搂着书这个舞伴，不停地跳下去。这是我的幸福，也是我的宿命。

1994.10.29

话堵话

"我爱每一片绿叶……"

"怎么？！每一片你都爱？！有一种绿叶，有剧毒，不但人吃了要死，就是不小心，皮肤沾上了，那也会很快溃烂！你也爱这样的毒叶？！"

"我爱每一片无毒的绿叶……"

"你为什么只爱绿叶？你难道不知道，'霜叶红于二月花'吗？革命领袖有专门赞颂红叶的诗句，小学课本里就有，他们从小就受到那种革命情操的熏陶……你为什么排斥具有非常积极的象征意义的红叶？！"

"我爱每一片无毒无害的叶子，无论是绿的、红的……还是金黄的……"

"你为什么只爱叶子？你为什么不爱花朵？"

"我当然也爱花朵……不过，我没有爱毒花，比如说爱罂粟花的意思……我自然也爱花谢后结出的果实，不过，这意思里也不包括毒果……"

"没有根须默默无闻地深扎于土地里，又哪儿来的枝叶、花朵和果实？！""我爱每一条根须……"

"根须从哪里汲取营养？！光有根须就能有所收获吗？！"

"当然，我爱给予根须营养的沃土……还有空气、水分和阳光……这一切我都爱！"

"好一个泛爱主义！可是你的知识结构怎么这样落后？你怎么连无土栽培都没听

说过！难道你希望我们国家的栽培技术永远处于落后状态？！"

"我爱每一种先进的技术……"

"每一种？！"

"当然，只包括那些用来造福于人类的先进技术，不包括那些造祸于人类的先进技术……"

"什么？！造祸于人类的技术，你也称之为先进？！"

"我的意思是，即使那种技术手段相对来说比较地高、精、尖，可是如果用来危害人类，也不可取，也应反对……"

"光反对技术就行啦？！技术是由人发明，由人掌握的！"

"当然，我爱所有以先进技术造福于人类的人们……"

"你置我们国家人数众多的尚不能使用先进技术的劳动人民于何地位？！"

"我也爱他们啊……"

"你什么都爱，谁都爱，等于什么都不爱，谁都不爱！"

"那你究竟要我怎么个爱法呢？"

"你为什么只热衷于爱，而丝毫不提恨字？！"

"既有爱，当然也就意味着有恨……不过，我不能，也没有必要，在任何时间，任何地点，任何场合，面对任何人，都全面地开列出我所有的爱和恨呀……"

"你怎么这么滑头？！"

"我这怎么是滑头呢？我记得很清楚，我不过是说了一句'我爱每一片绿叶……"

"难道这句话没有某种针对性吗？！"

"也许，确实隐含着某种针对性——针对那些可恨的枯木朽株，它们不仅自己丧失了生命力创造力，还起着羁绊活泼的生命前行发展的恶劣作用……"

"你这是在影射谁？！"

"具体的，比如说你！是的，现在请你听清楚：我爱每一片绿叶，我恨你这样的思维方式与罗织人罪的行径！"

1994 年 11 月 28 日绿叶居

"大院"里的孩子们

看完《阳光灿烂的日子》，朋友问我："你是不是又要说'只能面对'？"

1993年我看完张元执导的《北京杂种》，写过一篇《你只能面对》，一年多以后我看完姜文的这部《阳光灿烂的日子》，我的感受并不一样。

这部在王朔的小说《动物凶猛》基础上改编拍摄成的影片，表现的是二十多年前"文革"时期，几个军队"大院"里的少年人的生活，因此，从取材上说，它和《北京杂种》很不一样，后者所表现的90年代的青年人，我连他们的表层生活也不甚了然，但姜文这部影片里的那些少男少女，我可是很熟悉的，至少我一直以为我是很熟悉他们的。影片里有一场当年北京一所中学里的课堂教学场面，冯小刚（电视剧《北京人在纽约》的导演）客串了教师一角，而那正是当年我在生活里的实际角色。在姜文的影片里，对那时中学里的课堂秩序，勾勒得算是相当地客气了，类似影片里所展现的那种忽然有流氓学生破门穿窗踩桌疯追而过的事例，俯拾皆是，而在那种情况下教室中的学生还能那样基本上肃然不乱，倒颇为鲜见了，我当年要比冯小刚所扮的那位教师更色厉内荏，影片里的教师内心里所恐惧的，只不过是流氓学生的暴力性报复，而我，还不仅是我，我想还有许多的教师，更惧怕的是一时气愤导致口误，酿成"恶攻"之类的大罪。

不过越往下看，我就越感到影片所展现的，在我的极熟悉里，爆发出越来越多的陌生，而这陌生又由那熟悉不时地验证为惊心动魄的真实，于是，我不是感动，而是有一种憬悟，从心底里旋转升腾。

看完这部电影，我很冷静，却有一种满足感，是酽酽的审美愉悦。

这不是一部所谓的"文革片"。影片的编创者不仅无意于褒贬"文革"，甚至于可以说是有意把许多人们习见的"文革符码"，如大字报、批斗会、"造反派"、"红海洋"……都筛汰了，它讲的是少年人的故事，可是里面连"红卫兵"都没有；当然，它里面有若干"点境"之笔，如片头的场面，以及中学师生机械地跳动着挥舞纸扎花束履行"欢迎欢迎热烈欢迎"的"外事任务"等，处理得我以为都很客观，那只不过是为了说明影片里那群少年人，他们的花季处于一个什么时空罢了。

打一个可能很不伦不类却有可能一下子令人意会的比方："文革"中，或许至少有"三个世界"，"第一世界"是那些从"文革"中得到好处与或清醒或盲目地积极投入的人们所构成的世界，1975 年左右曾出现过一些体现这"第一世界"视角心象的电影，如《决裂》《春苗》《芒果之歌》《欢腾的小凉河》等等，我以为其中有的艺术上至少是并不粗糙，参与创作的艺术家也并非没有起码是被调动起来的真诚感与创作激情，从文化史特别是电影史的角度上看，这些影片万不可忽略不计，是很值得研究的。"文革"中的"第二世界"，是指所有被放置到政治上受打击受压抑一方的人们所构成的群体，即"地富反坏右，叛特走资臭"，以及因血缘或曾有过的交往而被牵连的人们，当然这些人的情况是很不相同的，他们互相之间往往还处于嫌厌抵牾的紧张状态，但那是另一回事，他们被"打"到了同一个暗淡乃至黑暗的"世界"中，则是不争的事实。"文革"后站在平反了的"第二世界"冤屈者立场，以他们的视角心象营造的文学艺术作品，那真是太多了，最典型的例子是小说和据其改编拍摄的《芙蓉镇》。这一类的作品，或其变奏，现在也还在继续出现。陈凯歌的《霸王别姬》另有极佳的创意，但就其中的"文革"戏而言，大体就属于展现"第二世界"里的生死歌哭。

《阳光灿烂的日子》却向我们展示了"文革"中"第三世界"的一角，所谓"文革"中的"第三世界"，就是有一些生命，他们被遗忘或被放逐在那两个"世界"之外，如影片中的那些"军队大院"里的孩子们，他们不是积极投入"文革"的"造反派"或"红卫兵"，他们的家庭与他们自己也不属于政治上受到冲击（至少没受到直接冲击）的社会因子，于是，在那个"第一世界"和"第二世界"都处于极度紧张，并充满了"责任"（无论正面或反面的）时，他们的"第三世界"却处于可以极度地无责任状态。这种极端的毋庸负责一方面给他们以放纵狂欢之喜，一方面却又导致了深刻的生命危机，那也真是一种"生命中不能承受之轻"，而原来并没有专门学过电影导演的姜文，却以他令我惊叹的才华，在这部影片里对这一"无责任真空"里的少年人生命，作出了相当深入的诠释。在这诠释面前，我憬悟到，虽然我曾与影片里的这些少年人共处于一个"小时空"中（他们称我为老师我是绝对地受之无愧，因为那只不过是对我们关系的一种追述性"白描"），可是我在此前并不曾如此这般地理解他们，那妨碍我对他们真正理解的原因，就是在"文革"中，我基本上属于"第二世界"，他们那个"世界"，不属于我，我们的"世界"或许如双圆相切，可是其"叶子瓣"（重叠部分）并不大，感谢这部影片，如此生动地把我本该了解并理解的那个世界（特别是超越真实生活的真实心理世界），补给了我，这是一份宝贵的馈赠。

我这样地来谈我的感受，有可能使我这篇文章的读者误以为我只是从一个"特殊观众"的角度，来为姜文的影片叫叫好。不，不是这个意思。这部影片应当能震动更多的人，且不论姜文的同代人，"文革"中"第三世界"的人们，他们可能产生的共鸣，我以为，至少会有某些处于"文革"中"第一世界"的人，以及很多的"文革"中处于"第二世界"的人，他们观看这部影片都会有所获，这还说的是中国大陆的观众，其实这部影片从根本上说，是超政治，超意识形态，超"文革"，也是超民族超国度的，它最终是揭橥着人性，通向人类共同关注的情感、命运这些个很大的命题。

这部影片的主人公是十六岁的马小军，其他角色，我以为都是配角。饰演马小军的演员夏雨因为这个角色已在 1994 年的威尼斯电影节上荣获"影帝"桂冠，他的表演自然天成，却又层次分明，不温不火，这当然是因为他本身是块好坯子。而姜文将其炼造打磨得确实华光溢彩。影片中的马小军，集中体现出"文革"中"第三世界"里的"大院子弟"的种种特征，除了后来他姥爷的死亡给他心灵一些政治阴影（也并不怎么深重），他在那个以阶级斗争为纲的时空中，心灵中却并没有那个纲，甚至没有那根弦，他的个体生命在脱离社会生活主流的情形下，得以大大张扬了一系列本原性的欲望，首先是窥探欲——他溜门撬锁，不为钱财，而为寻幽探秘；由此他又勃发出青春期的性骚动，这一骚动不能获得满足甚至于不能自我解释，于是太苦闷；因太苦闷因而又产生暴力欲望，这欲望一方面表现于冲杀到真正的战场与"苏修"决以死战建立功勋，一方面便移化为参与暴力性的胡同殴斗，并以"浑不论"地冲到最前面拍"大板砖"和"抢大板带"而得到极大的心理满足……可是他的心灵又不能获得真正的支柱，于是他在民警的威力面前懦弱卑琐，独处一室时又以假想的报复作无聊的心理补偿，在杀气腾腾的大型群殴即将开始时，因为对方点名要他处于阵前，他魂飞魄散，可是当"和了"的呼声响起来时，他却又仿佛并无所谓……这些人性的剖析都还算不得什么，难得的是，影片用了大量流畅而富有个性的电影语言，引出了对个体生存困境的永恒性思索……

是的，当我看到一半的时候，我的心就禁不住喁喁自语：人啊，人，你作为单个的、不能由他人替代的活泼泼的生命，你是无法自己选择生命时空的，更细腻准确地说，你或许终能在地球上改换你的生存空间，却绝对不能改换你出生的时间，哪怕那只是你父母的一个偶然性的"失误"所致——影片里马小军偷将父亲的避孕套吹成气球玩，玩完又偷偷放回，便导致了其弟弟的产生——马小军那样的"大院子弟"，他正当花季时，也是不可能脱离所处的"文革中的中国"那一生命空间的，但他们却被抛在了"文革"的"第三世界"即"无责任世界"中，于是，他们的那一段生命史、情感史、心灵史，便具有了一种既非常之"时代""时期"或曰非常之特殊、例外，而又相当地超时代、时期和通向全人类人性之本原的怪异色彩……是啊，那时候，一些人忙于斗人，一些人疲于挨斗，或以心相抗，搓揉成一团的人们，都把马小军他们忘了，"忽略不计"，可是他们的身体在发育，性器官在成熟，荷尔蒙液在增加分泌，心理结构在蒙昧中架置，情感在骚动，肢体在寻求力量的发泄，唯独理性在荒芜里或沉睡或乱窜……这样，他们便或衍化为一种潜在的破坏性力量，或经过社会的发展与自身的飞跃，成为一种基本是良性的解构力量。

影片还以许多——有时非常生动——的细节，把马小军他们一群的心性赖以成型的文化资源加以揭示，那里面很大一部分是前苏联的《列宁在十月》《列宁在一九一八》等少数几部虽经中苏反目仍被中国加以肯定的老掉牙的电影，以及《钢铁是怎样炼成的》等少数几部小说，这些反复灌输的革命艺术品，构成了马小军一代恐怕至今不弃的建立功勋的心理审美坐标。我看完《阳光灿烂的日子》这部片子，灯一亮，我就悟出这实际是王朔、姜文他们自己一群（他们都曾是"大院"里的孩子）的一部怀旧片。我原来对王朔走出了"编辑部"，经历过"爱你没商量"，"过把瘾"却并没有去死，而是兴致勃勃地要拍《红樱桃》颇为愕然；对姜文在他发表的某些文章里那样不同"非大院"出来的某些同代人，几乎是有点意气用事地抨击西方，也曾不能参透；看过这部《阳光灿烂的日子》，我懂了，他们即使在"文革"中那样无聊地胡闹，或是偷听《天鹅湖》的唱片，坐在屋顶上唱《莫斯科郊外的晚上》……谴责弃己而就他的姑娘，也是把她比拟成弃保尔·柯察金嫁了"旧官僚"的那个冬尼亚……更有趣的是，在王朔的小说里，北京的那个"老莫"（原苏联展览馆的莫斯科餐厅）是一个反复出现的人物活动场景，而在这部姜文拍成的影片中，"老莫"也是几场重头戏的背景，而且，他把那"老莫"拍得非常地富有"诗意"，充分反映出他们那群"大院孩子"潜意识里把"老莫"视为一个图腾的心象。当然，他们也曾窃食西方"禁果"，如影片所表现的那样，偷钻进去给"首长"放映"供批判"的"毒草"的场地，去"饮鸩止渴"。

我说这话绝不夸张——看了姜文拍的这部电影，你可以获得一把解读王朔全部作品的钥匙。为什么他那样地超政治？为什么那样地"没正形儿"？为什么那样地调侃一切？为什么一会儿一股子"我是流氓我怕谁"的劲头，一会儿却又千真万确地一边读《红樱桃》那样的"主旋律"剧本一边掉眼泪？其实，就王朔而言，他几乎一直置身于社会主流而外，他一直是"第三世界"中人（当然如今打比方的"第一"和"第二"世界应有另外的界说），他可以在"第一"和"第二"世界中穿过来蹚过去，但他"本性难移"，他是一个长大了并获得机遇的马小军。姜文原来作为演员，演得很好，但都非本色，这回他来导电影，为什么与王朔一拍即合？为什么把马小军诠释得这么鞭辟入里？原来，他竟更是一个长大了的马小军（电影里公开地这样处理，夏雨的入选首先是因为他长相酷似"小姜文"），一句话，他和王朔，还有他们的很不老少的哥儿们姐儿们，都出自"大院"。

"大院"的孩子们，正如影片旁白里所说，在"文革"后各有各的命运，但"军队大院"这个背景毕竟构成了他们的一种社会优势，一般来说，他们去"上山下乡"插队为农或到兵团"屯垦戍边"的都不多，他们往往是被父母送到部队里去当兵，而复转时又往往伴随着父母的境况大大好转，很快得到"安置"，因此他们没有在"遥远的清平湾"一类地方"蹉跎岁月"的悲壮咏叹，在同龄人中，他们是较为幸运和快活的一群，他们心灵上的苦闷，不是来自生活上的重压感，而是超级无聊，这使他们一旦弄起文艺，便往往不朝沉郁凝重上靠，而精于调侃，敢把一切严肃乃至崇高的事物统统化为笑谈，并且极乐于自嘲乃至自轻自贱，并且他们没有不安全感，自我才华得以横溢，他人笑骂全不萦怀。我们现在往文艺界圈子里环顾一下，便很容易发现一些"当年的马小军"，并且他们的作品中，总不免甚或是刻意地流露出一股子"大院"味儿来，这味儿，闹不好，一般的读者观众会觉得是馊的，弄好了，却会有一种"老莫"大餐的味道，可能仍有人不嗜这个，但其自成一种风格流派，当不可轻觑。

我所看到的这个片子，据说还未完全通过审查。这是很自然的。不过，我相信，一方面，审片的人会越来越意识到，"大院"的孩子本是"自己人"，这部片子其实是"大院"的孩子们在对观众——首先是父兄，然后是"院外"的人们，诚挚地伸出手说：请理解我们！所谓"阳光灿烂的日子"，并不是在说"文革""灿烂"，当然更无反讽的意思，这不是我在为他们"巧为辩护"，这是真的，这部片子对"文革"既无控诉之意，也无自我忏悔之意，它只是"大院"的孩子的一种怀旧，那毕竟是他们如"八九点钟的太阳"的时日，他们被放逐于"第三世界"，不管史家们对那些岁月作什么样的政治评价，他们的青春花蕾，在那个时候那么样地开放过，也许别人从旁看来，他们的青春花朵是太荒诞乃至太狰狞了，可是一个人只会有一个十六岁，一次花季，一次性觉醒，一次初恋……而在一个渡过了青春危机的成年人心目中，他会觉得，那青春的花朵，毕竟是灿烂的！如果说他们的父兄辈当年忙于"斗、批、改"

顾不上管他们，结果是"无心插柳柳成行"，那么，现在他们成熟了，扬出满天的柳絮，父兄辈们理应承受这一"无心"的后果，与其嫌厌，莫若恍然，一笑之中，达于亲和。而且，这部影片客观上还昭示着我们，正如当年人们忙于阶级斗争，无形中把一群孩子放逐到了"无责任世界"一样，现在我们忙于发展经济，忙于发财，是不是同样有可能将一群青春生命放逐于责任真空里？我们以后，是不是还必得接受那批树木长大后的果子？那时的果子要真是苦果涩果，可又咋办？另一方面，我也相信，姜文他们会意识到，他们艺术上的成功，是从自身那有相当局限性的出发点，凭借悟性、才气，才穿越突破了那局限，而达于普遍人性，去与"非大院"的心灵契合的，因此，他们有听取意见作适当修改的必要，也许，某些让步，会更有利于使整个作品更通达也更飘逸超脱。更何况这片子在艺术上也还有再加打磨的必要，我以为后四分之一就显得略为拖沓，姜文实在还需拿出更多割爱的大智大勇来。

对王朔姜文这些从"大院"里出来的"孩子"，我们不仅是"只能面对"，我们还必须与他们共处，他们的创作活动构成着一种强势的文化流派，引出了有时候是很强烈的呼应或反感，我个人清醒地意识到，我过去、现在乃至将来都不属于这个流派，但我对他们颇愿友好，他们对社会并无颠覆性，他们只是在解构一些"文革"中"第一世界"的残留物，那多半是确应拆除的，而他们的调侃式解构，往往比急赤白脸地抨击更奏效，也更富艺术情趣；他们对与他们出自不同"院落"的不同流派也没有侵略性，因为他们很自信，似乎并不担心"失落"，因而，相对于别人对他们的频频批评乃至攻击，他们很少回应，只是忙着做自己喜欢的事，我认为这也是一个优点。在这转型期多元文化的相激相荡中，他们是极富弹性的一元，将在中华新文化的多元整合中，与那些很有道理地厌弃他们的相异元们，各自作出其无可替代的贡献。有人也许会说，我对他们太偏袒了，可是，这些从"大院"里长大出来的孩子们，羽翼早已丰满，并已通过他们的作品构成了一种触目惊心的文化现象，难道还会需要我这种人来偏袒他们吗？

1994.12.5 绿叶居

生命树上的繁花

我很不愿意到医院看病，一般情况下，身体不舒服时，或在家里找一点过去领来的剩药吃，或者到就近的药房买药，或竟只是喝大量白开水、卧床睡睡，几十年来，居然也就大体是健康地活过来了。当然，病来了，真抗不住时，也去医院，遇见的医生，似乎也都颇有医德，不过，虽接触过那么多医生，留下深刻印象的，不多。独有一位医生，我永远难忘，那是我几年前到外地，忽然很不舒服，于是去医院挂了个内科号，见了医生，他循例给我看喉舌、听心肺、量血压、按肝区……开化验单，这其间自然贯穿着问诊，所问的，基本上都是我以往见医生时照例要问到的，但他问到最后，忽有这样一个问题——

"你心情怎么样？"

我颇感出乎意料，不禁抬头，愣愣地望着他。

那医生迎着我的目光，蔼然地微笑着，等待着我回答。

我竟一时不知该怎么说，心想，也许中医是要问这个的，但急速地回忆一下，我所接触的中医，可能问"你心里觉得怎么样"，或者干脆宣布你是"肝郁"、"气恼"，不过那些话都不像这次听到的，有扎耳的新鲜感；就我所接触的西医而言，这样直截了当地问患者"心情"的，还真是头一遭。因为，他是明明白白地在问生理现象以外的事。是的，我从那医生脸上的表情进一步准确无误地读出了他所要问的，是超越我的血压、脉搏、血象等等生理状况的那个"纯粹"的"心情"。

于是我很坦率地告诉他，我心情不好。

他针对我的病情，开了些药，但强调说："最好的药，是一个好心情！"

我心中顿有豁然感，忙感谢他："这就是您给我开的最好的药！"

因为还有别的患者等他看病，我不能跟他继续谈谈。

可是出了医院以后，我就如同被高僧所点化，思绪整个儿是充满了禅意。

是的，现代医学已经有一个专门的分支——心理医学，如今的中国大陆，懂得找心理医生化解自己心理郁结的人，是越来越多了，心理治疗，也越来越同政治思想工作、品德教育、情感教育等分别开来，成为一个专门的领域，不过，我们的心情出现不佳状态时，未必都属于病态，或者，虽也可算是构成了心理问题，但不到必须找心理医生的地步，只要自己清醒地意识到：现在我心情不好，这可不妙！于是，多半可以依靠自己，将那心情扭转过来。

我们往往糊涂地认为，我们的健康，仅只是体现于我们身体的状况中。其实，我们的生命，就其更本质的意义，是生活在心情之中。

我们不能只会自问："我现在身体怎么样？"

我们要更善于自问："我现在心情怎么样？"

现在不少人自己购置了血压计，在家里可以给自己量血压，有的人还很规律地一天量两次。

可是，有多少人一天两次很认真地过问自己的心情呢？

虽然我们无时无刻不处于心情之中，但混沌处之的多，"跳出来""从旁"过问一下的人并不太多。

难得那位医生一句话，提醒了我，我愿将他给我的启示，转达于人。

身体和心情，当然是有联系的，但身体好时心情未必好，心情好时身体亦未必好，身体和心情各有某种独立性，因此，我们除了应注意保持一个好的身体，还应保持一个好的心情，也就是说，我们的生命重量，既体现在身体上，更体现在心情上，这当然是从医学的角度、保健学的角度上来说，加上社会学、政治学等角度，对生命价值的估量就还要加码，这里且不作讨论。

　　心情是个很怪的东西，有时候，我们的心情会无端地坏起来，中医似乎都可以解释为由生理上的不适所产生，一般西医则往往不管你心情如何，他只先让你做种种检查，从抽血验尿到做心电图、照 X 光、做 CT，做核磁共振……你心情好也罢，差也罢，他反正只是给你做病理上的对症治疗，这样，他们固然都尽到了职责，你生理上的病可能也确能好转乃至痊愈，但却容易使你大大地忽略——你有一个叫"心情"的生命，它与生理生命并存，但具有相当的独立性，因此，你应如同珍视你的身体一样，珍视你的心情。

　　一个好的心情不仅是最好的灵丹妙药，它本身就是你生命开出的鲜花。

　　生命如树，这树应繁花满枝，那繁花便是不计其数的好心情。

1994.12.23

"淘金时代"

有人说，如今是一个淘金时代。这话看怎么理解了。如果把"淘金"就解释为"找钱"，以此来涵盖一个严肃意义上的时代，则毋乃太偏颇。但如果把"淘金"当做一个广义的比喻，"金"不仅意味着金钱，更意味着一种超金钱的价值观念，意味着物质财富与精神财富的和谐，意味着真、善、美，意味着新型人物，意味着希望与光明。那么，说如今的中国进入了一个"淘金时代"，则我以为倒也贴切。

不过，且请听清，这里说的是"淘金时代"，而不是泛泛言之的"黄金时代"。"黄金时代"的说法虽似乎更具亮色，但容易使人麻痹，以为现在是一弯腰便可路拾黄金，或懒懒地站着，也可金雨洒肩，有些盲目流入城市的青年农民，就存在着这类幻想，误以为一迈进城市，便可找到一份不错的工作，挣到可观的工资，其实不然；当然，如果更糊涂地以为可以随便地把别人的钱偷盗过来，甚至于随便地"从银行里拿笔款子来用"——这种人目前确有，城里人比例或者还稍居多——那就成为犯罪了。所以，这里强调，金虽好，却需淘。也就是说，现在的时代，不是致富有罪、发财惹祸的时代，但致富需用合理合法的手段，发财的账目需经得起检验推敲，你那发财致富的过程，应是一个付出劳动的过程，所谓"千淘万漉虽辛苦，吹尽黄沙始到金"，方属正道。

金钱、财富，需要淘漉方能到手，这是"淘金时代"的第一层意思。而我们现在所处的这一转型期社会，需要披沙拣金的事实在太多，比如披假货劣货之"沙"

而拣真货优货之"金",揭穿骗子骗局骗术而使人耳聪眼明心亮,"扫黄"、"扫暴"以清洁文化环境,排除任人唯亲、"裙带关系"、拉帮结派等干扰阻碍而真正地任人以德才兼备者等等,这是第二层意思。但是切莫忽略了第三层意思,那就是,"淘金时代"虽令人兴奋,却是一种还较低级的发展状态,我们看过一些美国的"西部片",那些电影所反映的多是美国初创期西部淘金牛仔们的故事,那正是他们的"淘金时代"。你想想那些电影里的场景故事,虽然一方面社会财富确在粗犷的运作中迅速地积蓄起来,社会"游戏规则"也渐次地规整细密,文化道德水准也在逐步地提升,真、善、美的东西也在淘漉中有所积累,但那样一种"初创期",现在回过头来看,值得回味,却绝非什么令人艳羡留恋的人间胜境。我们所处的这个"淘金时代"也一样,身在其中,固然为其勃勃的生气、多样的机会与巨大的希望而兴奋、欢欣、自豪,但至少应有相当一部分人士,又能身在其中而神思超越,意识到这个"淘金时代"只是我们通向一个美好未来的阶梯,我们万不能把阶梯当做了终点,经过一番披沙拣金,我们还要在更新的时代中,确立更高级的追求,达到更文明的境界!

1995.1.7

红娘与王婆

如果从"结构主义"的角度来考察，则《西厢记》的基本结构——一对素昧平生的青年男女，一见钟情，却不能顺利"成事"，于是一中间人来撮合，终于使有情人成就"好事"——与《水浒传》、《金瓶梅》里关于潘金莲西门庆那段故事的结构，真是何其相似乃尔！

《西厢记》在明、清遭到过严厉查禁，被封建统治者指认为"秽恶之书"、"使人阅看，诱以为恶"，但到本世纪后，特别是"五四运动"以降，《西厢记》基本上是为国人所共赏，崔莺莺和张君瑞的爱情被认为是正当的、美好的，他们的"婚前性关系"也并不为人诟病，而促成他们这段姻缘的红娘，用已故文学理论家何其芳的"典型共名说"来衡量，则已取得了堪称伟大的"共名"效应，比如我们现在最具威力的大众传媒电视里，不仅有专门为观众介绍婚姻的"电视红娘"，甚至于连招聘与自荐的双向求职节目，也叫做"人才红娘"，"红娘"已成了一个代表"最佳中介"的美好符号。

潘金莲与西门庆的故事，在以往的时代固然就令绝大多数人所否定，其间虽有本世纪上半叶的欧阳予倩等为潘金莲"翻案"，究竟不成"气候"，到了今天，潘与西门的偷情，在多数人心目中，还是"淫行"、"秽事"，而从中撮合他们的开茶坊的那个王婆，就更是一个毋庸置疑的坏蛋。

但平心静气地想一想，崔莺莺与张君瑞的一见钟情，实在也并没有什么"思想

基础"，王实甫的那个文本，明明白白地写着，他们相互间是一种朴素的性吸引，张
生一见莺莺，便"呀！"了一声，"正撞着五百年前业冤，颠不刺的见了万千，似这
般可喜娘的庞儿罕曾见……他那里尽人调戏𠲿着香肩，只将花笑捻。"由此便想与她
发生性关系。这与"西门庆帘下遇金莲"，两人的性吸引，实在并没有什么区别。如
果说红娘本来并没有与莺莺、张生撮合的预谋，那王婆一开头也未必就一定要拉那
个皮条。当然，稍有不同的是张生尚未娶妻，但在封建时代里，像西门大官人那样
的人，三房四妾地生活也并不违反社会规范，潘金莲固然也嫁了武大，而莺莺也已
定聘于郑恒，在封建时代里，背叛成婚后的丈夫与背弃与之定婚的男人，去同另外的
男子发生性关系，如果不是一样地"无耻"，也只有五十步与百步之差。所以，这两
组其实"情节"差别并不大的偷情男女，从艺术家们把他们创造出来以后，在历代
绝大多数读者心目中，竟引出了那么轩轾分明的喜厌效应，确是很值得深深玩味的。

潘金莲后来是鸩杀了善良的弱者武大，以排除她与恶霸西门长期苟合的障碍；莺
莺与张生之间的障碍开头是老夫人，经红娘不怕拷打据理力争后，老夫人让步了，
但毕竟还要面临一个郑恒，王实甫让郑恒最后蒙羞"触树身死"，自动消亡；这样，
两组偷情人物才有了重大质差，前者滑落到刑事犯罪，后者则干干净净地达于"有
情人终成眷属"的美境。这当然是历代读者观众之所以唾此艳彼的重要理性依据。

不过，细究起来，决定于几百年来绝大多数读者情感背向的，主要恐怕还是对
两组人物的爱情故事的叙述文本有着重大的差异。《西厢记》用了既鲜丽又雅致的美
文来辅陈男女主人公的欲望世界，虽是相互的性吸引，却升华于审美境界；而无论是
《水浒传》还是《金瓶梅》，写潘与西门的偷情，都用了一种坦率的俚俗笔调，把他
们之间的性吸引，定位于赤裸裸的肉欲。

出谋并参与鸩杀武大之前的王婆，她的热心撮合，心理推动力就已经是钱财。
红娘则根本不同。在老夫人赖婚后，张生央她送束给莺莺，急切中说："小生久后多
以金帛拜酬小娘子！"遭到红娘斥责："哎，你个馋穷酸俫没意儿，卖弄你有家私，
莫不图谋你的东西来到此？！"我想这是红娘与王婆在境界上的最根本的分野。王
婆既谋财心切，则难免不堕入参与害命。红娘既无私仗义、以成人之美为自身乐事，

则受杖不屈、机智辩驳而竟拨云见日，也无怪乎成为了一个跃出艺术领域，有着多层次内涵的"典型共名"。

　　引申开来一想，在我们眼下身处的转型期社会里，实在潜藏着、发生着太多的"一见钟情"；而"单想思"或"双相思"者又是多么迫切地盼望有"中介者"穿针引线，以促其成。好，那所有欲穿针引线者，都可以冷静地想一想：是学红娘，还是学王婆呢？

1995.1.23

街道如鱼缸

耳边常有这样的议论：文人的立脚点究竟应在何处？"庙堂"？"广场"？"山林"？"他乡"？……近来比较多的声音，是说"应守书房"，或者用较为生动的比喻，是设定其"本位"，在"楼阁"之中。

"楼阁"中的"书房"，不消说是文人生命的基本燃烧场所，但至少于我而言，却无论如何，不能离开"街道"。

我自 1950 年起，便定居于北京，迄今已四十五年，而且，我这四十五年里，仅居处与工作单位，便先后涉及东、西、宣武、崇文四个城区，住过不止一个胡同杂院，也在几种楼区里有所迁徙，北京的街道胡同，既是我生命的舞台，也是织入我魂魄的经纬，如将我喻为一条蚕，那么，我能吐丝，端赖那北京的街道胡同，如桑叶般供给了我滋养。

城市街巷，尤其是古城街巷，又尤其是北京这个自明成主建城迤来，基本上未遭受过战乱荼毒的散发着檀香木气味的古城街巷，居住着许多的老市民，也就是数代不迁的古城后裔，他们如蜂巢中的工蜂，营营地采粉酿蜜，生生灭灭，灭灭生生，其悲欢离合、生死歌哭，往往既与时代、社会的主潮相联，却又更往往是处于边缘，默然如沫，主潮荡过，被人遗忘，偶有回响，匐然如梦；他们往往是既够不着"庙堂"门槛，也旋不进"广场"中心，当然更无机会徜徉"山林"、远遁"外乡"，他们就那么淳朴、敦厚地生息于北京的旧街古巷，从呱呱落地、牙牙学舌，到上学工作、娶妻生子，直到退休终老、遗子自奔，构成他们生命的光环，闪动于古城的星空。

这些古城旧街陋巷中的居住者，往往被文人雅士称为"小市民"，他们所构成的世界，是俗世的核心。

我不明白，为什么有的文人雅士，那么样地鄙夷这由"小市民"汇聚的"俗世"。

在我来说，我当然重视自我精神境界的提升，但我直面俗世，进入俗世。我并不是说，文人雅士都应该与一切世俗的东西认同、亲和，但我自己深深地体味到，这俗世里蕴藏着黄金美玉，问题只在于我们能否开掘琢磨。

是的，我曾卷进了一个"场"，也算跻身于一个"坛"，或者竟蹈入了一个"圈"，我不讳言，相对于默默无闻的"小市民"们，我或许是得到了不该有的"名气"，因而已在"明处"，已无法藏匿，我想"混迹其中"，已有了一定难度，但我还是知难而进，坚持从楼阁书房中走出，去同街道胡同里最"底层"的市民交往，甚至努力去与他们成为真正意义上的朋友，我这样做，不是我以为他们需要我，而且我意识到，他们其实完全可以没有我，然而我不能没有他们，是我需要他们。街道如鱼缸，我是条"文人鱼"，游动其中，与俗世的众鱼相唼喋，我才能存活，回到阁楼书房中，才能弘扬出"人文精神"来。

1995.2.19 绿叶居

克服"喜热症"

不少人说 1994 年有点怪，怪在"无热点"，尤其是与 1993 年相比，1993 年仅文化方面就简直可以举出一大堆"热点"来，粗略地一想，便有面对一扦子热腾腾的烤羊肉串的感觉，很能满足我们的"心理食欲"，但是 1994 年实在太平淡了。

1994 年真的平淡吗？其实平淡不平淡，看怎么说了，就拿文化方面来说，1994 年中国电影继续在世界 A 级电影节上称王称霸，戛纳、威尼斯、东京三家的"影帝"，居然都是中国大陆演员，其中还包括头一次上银幕的中学生夏雨，这还构不成"热点"吗？传媒也不是没炒，可是满大街的人对此似乎都并不怎么兴奋，我想，这和 1993 年陈凯歌的《霸王别姬》夺得了戛纳电影节的金棕榈奖有关，因为戛纳电影节的大奖被视作"最霸"的奖，这个都得了，你再有什么人得什么，人们也就不以为奇了。"群体无意识"把 1994 年里一个又一个类似的本来可"热"的"点"，都给浇冷了。

没热点就没热点吧，可是就有不少人抱怨，他们要"看热闹"或"凑热闹"，结果却是无新鲜热闹事可围观可凑趣，大败兴。

很有一些中国人，有一种"喜热症"。本来，喜欢热闹，属于一种性格，而且是不坏的性格，但是如果"喜热"到了嗜热如渴的地步，在温和的气候中反而浑身的不舒服，那就进入病态了。

细想起来，这几十年里，中国大陆确是热波不断、热点频现，其中有一种热点，是由阶级斗争与群众运动交织而成的，无论发起者与投入者主观愿望如何真诚美好，其不断发热的社会实践往往带来很不少也很不轻的负面效应，这里面实在有许多值得反思的教训。在这种社会实践中滚过来的中国人，有相当一部分，因而形成了一种习惯性心理，便是觉得"热"才"正常"，才"过瘾"，如果是温和状态，便觉得"冷"了，倒不大乐于接受。进入改革开放的新时期以来，不以阶级斗争为纲了，这是符合绝大多数人心愿的，但用什么方式进行经济建设？有相当一些人，却还是习惯于采取群众运动的方式，轰轰烈烈的形式，热潮滚滚的架势，于是，比如一说吸引外资，便蜂拥而上地自定"优惠条件"，热得发昏地搞"吸引"；一说可以搞股票、房地产，也是如热油滚沸，闹得个昏天黑地；文化上一说可以雅俗并举，不必排外，便俗到不可耐的地步，媚港媚台到连正经港台同胞也大吃一惊的地步……前几年，一切都处于初创阶段，如瀑布泻于高崖，人们频感热络，神经时时处于高度兴奋状态，到 1993 年，还是如此，这也无足讶怪，但是最近一年多，法制渐臻完善，法制外约定俗成的"游戏规则"也渐趋细密，水已流平，浪头变小，大江在平缓中奔泻，产生矛盾的各方从习惯性地尖锐对立逐渐转化为学会商榷、妥协，在这种普遍温和化的氛围中，当然也就显得"无热点"、"无刺激"了。

我以为温暖、温和、温馨、温情，比火热、炽热、暴热、狂热，更适于我们的转型期社会。1995 年也许仍不会有灼人的"热点"，但我相信会有更坚实的前进步伐！

1995.2.10

妥协的艺术

过去我们常说"斗争艺术",的确,斗争,特别是政治斗争,要把它搞好,取得胜利,那纵横捭阖之中的种种手段,在政治家身上,实在是体现为很高级的艺术。不过,仔细地推敲,如果政治家只会一味地搞绝对化的斗争,斗到不留余地、不稍停歇的地步,那他真正取胜的几率,恐怕就并不高,其"艺术性"便也要大打折扣,甚至于弄成"非艺术",也就是说,即使不惨败,那也会效果全无,或竟适得其反。真正高明的"政治艺术家",他那斗争的艺术里,一定包含着妥协的艺术,合理、必要、及时的妥协,是获取最大限度利益的重要手法,此"艺"不可不精。

现在我们所处在的这个转型期社会,不以阶级斗争为纲了,也就是说,不必把所有问题一律政治化了,实际上人们之间的利害冲突,往往更多地集中在经济上、观念上、生活方式上,一般来说,都属于人民内部矛盾,不存在你死我活的因果关系,也往往与权力分割无关,因此在人际碰撞中,学会合理、必要、及时的妥协,掌握一门妥协的艺术,就更加重要了。

由于过去一度把阶级斗争的弦绷得太紧,不少的中国人,心理积淀里,都把妥协视为投降、叛变、软弱、胆怯、没出息、大丢脸,因此,往往该妥协时不妥协,还任由一腔热血沸腾起来,大斗特斗,拼死一斗,结果是惹出大祸,酿成惨剧。直到最近,你翻翻各家省报市报的社会新闻版,还会不时地看到这一类令人摇头扼腕叹息的报道:某某市民,仅仅为了芥豆大的事,如邻居家泼出的脏水溅到了他家里人身上，或两家的孩子扭打后觉得自己孩子吃了亏，等等，便立即出战，由秽言相骂，发展到拳脚相加，直到"见红"，把小事闹得泼天般大，被民警赶来制止，或竟锒铛入狱，方才清醒过来，后悔不迭，我曾访问过一位如此这般"折进局子"的壮汉，问他："你为什么不妥协一下呢？"他瞪大了眼睛反问："什么叫'妥协'？"我说："就是你让他一些。"他又问："怎么让？"看样子他确不是跟我胡搅蛮缠，他是真的缺乏"妥协细胞"，当然更遑论"妥协的艺术"。

检讨自己，其实在"妥协的艺术"上，也还远不是一个优等生。"在原则问题上没有妥协的余地"，但自己所设定的"原则"，是不是也未免太多？而且有的事是否一定要列为"原则"，恐怕也还应当再加斟酌，好在现在的中国法制日趋健全，人际磨合的进路退路也都渐趋宽阔，就是打起官司，对簿公堂，接受调解的例子也屡见不鲜，"私了"的社会时尚，也日渐风行，所以，在社会里生活中学习、揣摩"妥协的艺术"，只要能用心投入，进步也会很快的。

愿全体中国人在提升自己的文明水准时，都能把发挥良性的"妥协艺术"也当做一个课题，包括进去。

1995.2.7

"归至如宾"

题目印错了吗？该是"宾至如归"吧？

是的，我们都希望在走出自己家以后，在公共汽车上，在商店，在旅馆，在一切去到的公共场所，受到亲切、温馨的接待，使我们产生一种回到自己家的"错觉"。在市场经济日益步入良性状态的今天，许多服务性行业都把"宾至如归"当做一句响亮的广告词，他们也确实努力地这样去做，甚至于某些大公司的接待室里，也布置出一个很有家庭气息的谈话区，紧凑的沙发、朴素的茶几、速溶咖啡、小碟饼干……坐下来，还没洽谈正事，宾主双方已有"同在家中"的一份亲近之感。

随着市场的繁荣，现在人们的生活水平相应提高，家庭居室的装修，在许多地方已经是越来越豪华，越来越高档，形成一种互相攀比的时尚，特别是所谓的"第二次装修"和"乔迁装修"，动辄要花上数万元，争奇斗艳、堂皇富丽，以新型材料高科技，"武装到牙齿"，一户比一户光艳，"一浪高过一浪"，这浪潮，看来还会很涌荡一阵。

生活富裕了，挣钱多了，只要那钱来路正当，舍得泼泼撒撒地在居室装修上下本儿，这首先是一桩可喜的事，而自己愿把家里装修成什么样，属于个人的私事，他人无权也无必要加以干预。但不少的中国人，在精心装修了自己的居室后，偏很愿邀请客人去参观，甚至连卧室也乐于向客人公开，并更乐于听到客人的赞叹评议，以获得一种特异的心理满足，我就曾被邀去过一户人家，那装修的水平，与我所见到过的五星级饭店，简直找不出什么差距，真令我大开眼界，叹为观止；但进去没多久，就有一种别扭感，我是"宾"，感到拘束，这倒没什么，问题是，我发现主人也并不那么自由自在，他家不仅一进门要换鞋，他进出每一个房间，也还要不断地换鞋，因为厨房里铺的是合成材料制成的高级地砖，为的是不怕溅水，但卧室里却满铺长绒毛地毯，鞋底必须极为干燥方行，而卫生间却又铺的是瓷砖，为防滑进去前得再换上一双底子粗厚的拖鞋……为了使他那堂皇的居室不被"破相"，他每用完一样东西，都要赶紧洗涤、擦拭、归回"原位"，结果虽然确是一尘不染、一个纸片都不乱的景象，却似乎处处都存在着"小心易碎"的提示；他家的老人，居于一间小屋，也装修得很考究，但除非"特别需要"，竟基本上不出那屋，因为一"随意行动"，便有不慎"搞乱"的可能；连他那宝贝儿子，放学回来以后，也总是听见他在提醒：切莫把这个弄脏了，千万别把那个碰坏了，"饭店里不怕耗损得快，反正天天有人付房钱，咱们家好不容易装修成这样，可得注意保养啊！"他这样告诫他家里人，于是，我从旁看去，他回到家里，真好比是"归至如宾"，"客客气气"，小心翼翼，倒很像一个好不容易住进了星级饭店的客人，总在担心不要弄坏了什么值钱的东西、被要求赔偿似的。

也许我上面说的这一户，情形有点太极端了，但这一类的状况与心理，确实有一定的普遍性。我想这是因为我们穷得太久了，这种"把家居变成宾馆"的装修心理，说明我们的确很有点"暴发户"的特征。也就是说，我们精神文明的高扬程度，与我们在家居装修这一物质文明上所达到的泼撒程度，还很不成比例。其实，我们应当懂得一个朴素的道理：装修自己的家，主要是为了使自己舒适、随意、欣悦，而绝不是为了让别人参观、赞叹、羡慕！往深里想想，引导人们更合理地进行家居装修，也是一桩关系到提升民族文化品位的事情呢！

1995.2.24

糖猪儿

公园门口，有个老头儿卖糖猪儿。

老头满脸皱纹，但腰板挺直、精神矍铄，他的摊位就是一辆自行车，车上安放住一个木提盒，已吹好的糖猪，连着木签儿，都插在盒提把上；当然也不只是糖猪，他间或也吹点别的，我走拢他摊位时，就还插着好大一只糖凤凰，是薄片式造型，只能正面观赏，但极富装饰趣味；他吹出的猪风格统一，却又不断地变异。

老头周围，总围着些人，也有问价的，他说："您看着给。"却很少有人出价买他的，他似乎也并不靠吹糖猪吃饭，只是在那里怡然自得地管自吹，我走拢时，他歇息了，因为提盒把手上，已插得没了空位。

对那糖猪感兴趣的，首先是孩子们，许多大人，倘若不是他们带的孩子率先跑过去，也许会对糖猪儿视而不见，至少不一定要走拢去看，孩子们望着那些糖猪，少有不闹着要的，可是很少有大人掏钱给他们买；我围观时，一个年轻的母亲就弯腰吓唬那跳着脚扭着她买的女儿说："这糖猪儿不卫生！吃了要生病，病了要打针！"

我看到的一位买主，却是一对老外，他们也没带孩子，却买了一只糖猪，还有那只糖凤凰，老头收了他们两块钱，他们会说怪腔怪调的中国话，问老头："能够不坏吗？"老头说："世上没有永久不坏的东西，这东西坏得快点罢啦。"老外又问："真的能吃吗？"老头说："不卫生，吃了生病，要打针，疼不是？"周围人们的反应还没出来，他又说："我们打小就吃这个，没为它病过，没打过针……"大家全笑了，他不笑，却也不显愠怨，他又吹上了新的糖猪。

后来我买了他一只糖猪，举着，进公园去。

公园里正搞游园会，甬道上过来过去的游人，颇有拿着抱着猪的，大多是塑料吹气猪，偶有绒布制的玩具猪。今年是猪年，买个生肖偶像既图吉利，也富情趣，不过，工业成批生产的猪，特别是塑料猪，大兴其道，手工猪，如我所举的糖猪，已彻底地"边缘化"了。有人问抱塑料猪的："您哪儿买的？"答者便遥指售货亭。我举着糖猪儿，像打着一个招幌，摇来摆去地往前逛，却无一个问津者。

我坐在长椅上，仔细地鉴赏那糖猪。那真是一件艺术品，猪头猪嘴猪耳猪腿的造型，在漫不经心中，涤荡尽了匠艺，显示出谐谑的韵味。是的，塑料猪至少可以摆放玩耍一年，这只糖猪儿，拿回家中，暖气一嘘，也许过不了一夜便会软化脱形。这是短暂的艺术，一如我们人生中饱蘸欣悦的时日，不可能久驻永存。

"不卫生"的恶谥，回荡在我耳畔心侧。回想我小时，在小摊上买过用秫秸秆蘸出的糖稀球，还有同样是麦芽糖做成的糖瓜儿，以及用多种果皮熬制出的综果条儿，还有摊主用绝非消过毒，甚至皴痕中还带着泥垢的手，所捧出的那些半空花生、山楂片、酸枣面儿、葵花籽儿……我不是都吃得津津有味，甚至以为天下美味，莫过于彼等么？我也确实并未因此生过病，为此打过针，并且，我的同龄人，大都也是那么样跟我活过来的呀！

是的，生活进步了，我们都卫生了，可是我们也一个接一个地失去着被谥为"不卫生"的乐趣。我们不再让孩子吹竹笛和口琴，我们给他们花重金买电子琴和钢琴；我们害怕孩子在湖泊和池塘中嬉水出事，只让他们到设备优良的室内游泳馆去游泳；我们不让孩子玩"跳房子"、拽包儿、拍"洋画"、抓羊拐……甚至连踢毽儿、滚铁环、跳猴皮筋……也不放心，我们给他们买电子玩具、昂贵玩偶、游戏机游戏卡……其中一个重要的理由，便是我们要保证他们的卫生，让他们尽量地远离"不卫生"。

糖猪儿在我手中泛着浅棕色的光，令人想到夕阳落晖。这是正在隐没到地平线下的文明，它的一个细枝末节，也是它的一个绝妙的象征。

有更多拿着抱着塑料吹气猪的大人孩子从我眼前走过。那些塑料吹气猪只有大、小两种规格，它们经由统一策划、统一设计、统一制作，以工业方式大批量地生产出来，集中应市；因为时令恰宜，买方浩荡，卖方又为了尽快抢占、垄断市场，所以在艺术设计这一环节上既未注重创意和韵味，在制作工艺上更显粗糙，在我眼中，那些塑料猪写实失败，却又并无有意的谐谑变形追求；我甚至苛刻地探究：那使用的塑料，难道就不会挥发出有害的物质吗？那些塑料猪，果真就比我手中洋溢着独一无二的装饰趣味的糖猪儿"卫生"吗？

但是，我们所面对的俗世，有一种个人无法逭逃其外的魔力，不断地淘汰着糖猪儿一类虽美好却"不卫生"的事物。这"不卫生"的概念有很浓酽稠重的外延。

我举着糖猪儿，在公园里踽踽独行。惆怅，却又憬悟。

1995.3.3 绿叶居

春 冰

　　春水中，浮动着春冰。

　　整个水面结成冰板，在我看来，犹如本是清亮的眸子，却盖上了浊翳。但那是严冬的癖好，唯有大雪降临时，冰面覆雪，那硬冷的面目，改变为柔和的韵律，稍慰心臆；不过融雪的日子里，冰面往往又变得坑洼不平，雪消冰在，色灰颜粗，望去更令人心里发堵。

　　冰化水活春消息。但初春的漾漾绿水中，往往浮着些残冰。那些小块的，形状不等的残冰，犹如少女脸上的雀斑，在我看来，实在是焕发着比春水还要浓郁的春氲。

　　春水中的春冰，边缘往往是薄而透明的，给人一种婴儿小舌的稚嫩感，仿佛在舔着春水，享受着母怀般的温暖呵护。

　　水气是水的缕缕精魂么？那么，冰是什么？是水的冬眠？水的沉思？水的诡谲，还是水的愚钝？但春水中的春冰却超乎氤氲水气、溶溶水流和板结冷冰，它是水的诗吗？那么玲珑剔透；是水的仙子吗？那么晶莹秀美；是水的梦境吗？它难以持久，在消失后能留下那么多朦胧的倩影，令人回味，惆怅而又欣悦，百感交集而又心皈淳朴。

　　常常地，徘徊在初春的水边，伫立在春池侧畔，凝视那浮动的残冰。那些小块的春冰，甚至于当着你的面，缓缓地，其实又是刻不容缓地，从边缘到当心，融化到春水里。那景象，昭示着什么？象征着什么？预告着什么？警策着什么？全凭你当时的心境，你的想象力，你的理念，你的意识潜流，和难以解释清楚的种种微妙因素了。

我爱春冰。这是短暂的爱情。

有时，忽然一夜春风来，第二天，所有的冰面都已彻底开化，弯动的倒影中，寻觅不到春冰。春天一步到位，春水一汪爽亮。我的春冰姑娘啊，你在哪里？你不曾诞生么？你只是往春在我心中勾出的一个幻影？只是明春预支给我的一个企盼？我失恋了，踽踽彳亍在没有春冰的春水边，不会非常地痛苦，却一定非常地忧郁。

我的人生，已经历了很多的四季变幻，时空的，生理的，心理的，情感的，非理性的，神秘的，无可言说的。在每一次"冬""春"的转换中，我渐渐变得敏感，却又愈加平静，细琐精腻，却又全凭直觉。我盼冰面融化，我欲春水溶漾，却又不愿没有一种必要的过渡。过渡之美，往往大于此岸和彼岸的风光。"冬""春"的过渡，其美便在于春水中，一度浮动着春冰，仿佛一杯散发着丝丝芳馥的威士忌中，有些个莹洁的冰块，便更令人陶醉、销魂。

春冰如禅。

我居然试图用文字，来传达心灵深处对春冰的一份情愫，一种憬悟，这是我的情不自禁，更是我的不自量力。

然而，读我文字者，盼你我会心，尽在不言中。

1995 绿叶居窗外，护城河中春冰浮动时

接地气

许多人都知道我把自己的居处称作"绿叶居",有的人还记得我十几年前发表过一篇题为《我爱每一片绿叶》的短篇小说,因此不用我解释,也就明白我这"绿叶居"的立意。不过,既然这样命名,也就不能光是"形而上",必得真的有一些绿叶子,以达到名实相副。

但我的居处,是在一栋立交桥边的二十层高楼中,而且我居十四层,一位患有"恐高症"的朋友来我家做客,还没进到门厅,光是在门厅外的小过道那里,隔窗朝下一望,便立即"晕菜",也就是腿软目眩,我虽竭尽所能为他消惊解颐,他也领了我的好意,却从此再不来登我门,要会面,不是我去他家,便是约在外面什么地方。这当然是个极端的例子,却可证明我的居住已离开地面,有了多么之远,在离地这样远的悬空之处,要养活花木,实属不易。刚搬进这居室时,我在每间屋里都布置了一些观叶植物,有的在天花板上用冲击钻冲出孔来,塞进膨胀螺丝,再设法从那里挂下花盆托子,养上吊兰、蕨草、合果芋;有的就直接放在窗台、橱柜上,如山竹、朱蕉、巴西木;那大型的,便落地安置,如凤尾竹、大叶绿萝、龟背竹;我甚至在写作间书柜的柜格中,也点缀了瑞典常春藤、白粉藤、花叶芋、豆瓣绿;对这些观叶植物,我可以说是爱若家属、呵护备至,我买来不止一种有关的书籍,置备了小铲、浇水壶、喷雾器……更不时买来各种花肥和营养土,以及必要的灭虫剂、消病毒液,尽可能中规中矩地来养护它们,但随着时光的流逝,我所养的这些观叶植物大都陆续仙逝,首先是我摆放在写作间书柜格中的那些植物，尽管我曾用情调灯将它们映照得多姿多彩，如梦如幻，令我自己在写作间隙里，一瞥之中，神思大畅，客人们见到，也不禁拊掌称妙，可是它们都几乎坚持不到一个月，便要萎蔫；几种大型的盆栽，如凤尾竹、大叶绿萝，也都是一度辉煌，半年后便叶片黄落，甚至整株坏死，我的一颗心，不知为它们伤痛了多少次。

分析"绿叶居"中，绿叶竟"居大不易"的原因，可以找到很多条，比如光照的问题，虽然我尽量养耐阴植物，但像我写作间的书柜，基本上四季、每日都很难有阳光掠过，再耐阴的植物也难光合；又如温度问题，尤其是每年入冬，寒流已到而暖气未放那几天，室内温度一家伙下降十度左右，人尚难熬，况植物乎！我心爱的大盆凤尾竹和大叶绿萝图腾柱，就是这样受冻而元气大伤的！还有通风问题，尽管我们很注意开窗透气，但北京一年中至少有四个月是冬季，当然不能大启窗扉，而做饭时厨房逸出的油烟，里面有不少于植物有害的毒性气体，因此"绿叶居"中的绿叶，也就缺乏一个清朗的生态环境，不过以上所说还都在其次，最最主要的，是我这高楼中的居室没有地气，要植物在没有地气的情况下保持碧绿青翠，那真真是太难为养叶者，更难为那"每一片绿叶"了！

养绿叶不易，而我心不灰，现在我经过几年，积累出一些经验，培植出了若干较为"皮实"的品种，它们总算在这"高高在上"的空间中，较长久地与我相伴，悦我目、净我心，实为至亲；我也正与花把式相交，有的大型盆栽，想采取定期拿到地面接吸地气，轮换摆放的方式，以求其长康长绿。

不过我想特别告诉读友们的，还不是在"绿叶居"中养绿叶的经验教训。我居室中绿叶的枯荣，启示了我：人也需要地气滋养，甚至于，所需比植物更甚！从浅层次上说，住在高楼里的人，应常常到楼下，脚踏实地，散步锻炼，吮吸大地之精气，健神养元；从深层次上说呢？我以为，像我这样的住高楼的文人，实在是不能总在"形而上"的意识形态圈里活动，于我来说，地气便是那些最普通的市民，我必得将我的生活，与他们的生活相通、相融，我当然没必要与他们的思想感情去处处认同，正如他们亦不可能与我的思想感情处处合拍一样，但我一定要与他们所构成的"大地"亲和！

　　所以，我对刘禹锡那脍炙人口的《陋室铭》，在激赏其文采之余，却颇不以他那"谈笑有鸿儒，往来无白丁"的自诩为然，与鸿儒乃至中儒、小儒交谈固然为仅是一种荣耀、荣誉、荣幸，与白丁交往，也未必就是"瞎耽误工夫"，所谓的白丁，大概是指没有"功名"（官位、职称）、社会地位偏低、文化圈外的那些个"芸芸众生"（"小市民"）吧，这些年来，我这类的朋友，可说是有增无减，虽不敢说遍及三教九流，却也颇为杂驳，说实在的，呼吸于他们之中，我确有接收到地气的感觉，不仅眼界大开，有利创作，更重要的，是获得了自我生命的滋养，"我爱绿叶"，而"绿叶也爱我"，这人生，这世界，因而碧浸我心，使我不因"场"内"圈"内"坛"内的倾轧、污浊、气闷而蔫萎，得以从容光合、抽出新叶！

　　以昨日为例，下午先有一儒来，跟我大侃西方的"新进化论"、"批判法学"和"分析的马克思主义"，过足了学理操练之瘾，于我如沐春风，大有裨益；儒去，则又有一白丁来，该人小学只上到三年级便辍学，但他在社会这所"大学"里所亲历的"课程"，略转述于我三五，便令我感到既生猛活鲜，又惊心动魄，特别是他那些似乎漫不经心道出的顺口俚语，反射出世道人心，包蕴着丰厚玄机，犹如强烈的地气，直冲我血脉，你说，这难道不也是我"绿叶居"的福分吗？当然，我有时也到这类朋友家里（往往是名副其实的蜗居），一坐一聊，不知夜幕落久，黉夜方归，所接地气，也便更感充足。

　　有了接地气的自觉，我想，我这"绿叶居"中的观叶植物会越养越好，而我的"心叶"，也必将葆其青翠吧！

　　　　　　　　　　　　　　　　　　　　　　　　　　　　　　1995.3.6

健康购物欲

与朋友 G 君等同去电视台参与一个小节目，走进大楼，前厅里便有一个小卖部，柜台里摆放着许多有电视台标记的纪念品，G 君一见那柜台，便走过去低头观看，我们一行中的几个人便打趣他说："你怕是有购物癖啊！""你世界上都走过那么多地方了，什么样的商店、市场没逛过，怎么到了这儿还那么有兴致？"他乐呵呵地说："成习惯了啊……"我一旁不禁为他解释说："他这是身心健康的表现，他这种健康购物欲，我们该羡慕才对啊！"

G 君的生活习惯，我颇知晓。他三天两头便要同也已退休的妻子，双双从家里出去，沿街散步，并很自然地，拐进他们那边的商场里，转悠一番，有时不过是兴致勃勃地指点观览，有时便不免采购些物品，那些物品，有的是生活必需的，或至少是有用的；有的，买回家才意识到，其实是无用的，多余的。当然他们有时更特意乘车到远处的购物中心，像逛公园般地游览一番，回家时也难免总要大包小包地提回几样。依我从旁观察，G 君的这种购物兴致，体现出他对生活的热爱，丰富着他的视野与思绪，增进着他与妻子的感情，并且也旺健着他的体力，畅通着他的血脉，实在是有利无弊，其乐融融。他们买回去的某些到头来显得无用和多余的东西，在他购物总数中毕竟只占不大的比例，而且究竟有用无用、是否多余，也看你怎么说了，比如他们曾在商场里买回一包欧式干花瓣，在挑选、购买的时候，那别致的物品给了他们很大的快感，虽说回家后渐失兴趣，也不知怎样派用场好，但千金难买童稚乐，他们在购买时能一刹间返老还童，这也算是物尽其用了！

自己保持心灵的高格调，却又能直面俗世，以平常人的身份，进入平常人的活动场所，如商店市场，并且以平常心，享受平凡的购物之乐，我以为不仅是健身健心之道，也是一种悟境，一种禅蕴。

有一种人，自视清高，斥拒俗世，走在街巷，只觉路人皆昏，偶进商场，顿感盈眼难耐，甚至于对他自己生活必备的物品，购买时亦了无兴致，这样的人，且不论其胸臆境界，仅就生理和心理层面而言，恐怕起码是略有缺憾。如果本是一个俗人，而丧失了正常的购物欲望，那么就更糟糕了，或者是他经济极为拮据，或者就是他悲观厌世，或者他一定有了什么生理症候。

最近看到一篇学者写的文章，说幸福感不能等同于消费，应着重精神修炼之乐，他是针对目前社会上高消费成风，又尤其针对以公款消费而乐此不疲的现象说这番话的，以他所取的角度，在他的语境里，我以为他是对的。不过我现在是取了另一个角度，我的前提是，直面商品社会的"俗世俗人"，将温饱问题尚未解决的那部分人的心理问题另论，并且所论也不涉及公款消费，只就都市中大体而言已有了一定购买力的小康人士而言，那么，在工作之余，有逛街逛商场的兴致，并保持一种健康购物欲，我以为是一桩于本人、于社会都有益处的好事。

任何有利于身心的事物，当然也都不能过量。购物兴致如果膨胀为购物狂，那就不仅不健康，而且会出乱子了。所以，我要特别强调，健康购物欲不可不有，病态购物狂不可不防！

1995.3.25

时尚语丝

独一无二

一位朋友给我来电话："听说你现在给一个杂志写文章，专讲时髦，可是真的？"

我立刻告诉他："你听岔了！我是在写关于时尚的文章，而不是关于时髦的文章！"

他问："难道时髦和时尚还有什么区别吗？"

当然！我向他讲了那区别，而且觉得也有让更多的人知道的必要，所以现在把我的看法写在下面，以就教于《时尚》的读者。

时髦，指的是一种风气，为此种风气卷进去的人，处在被动状态；时髦是一种大众文化，来时喧闹沸扬，去后销声匿迹。举例说，有一年，忽然兴起一股风，就是给羽绒服的帽子，包括袖口，有时还包括所有的衣边，都镶上翻露的毛边，或真是动物的皮毛，或以人造的替代，总之，形成一种舆论，仿佛唯有如此穿羽绒服，方够派，方美丽，使得一些趋风的人，满城里奔来跑去，拿着自己的羽绒服，去找地方加镶毛边，后来一些厂家便随风而上，大量推出镶好毛边的羽绒服，结果呢，许多人四顾一望，人皆如此，了无新意，很快厌倦，弃之不惜，那股风随即偃旗息鼓，许多镶毛边的羽绒服滞销，事后被引为笑谈，这便是时髦的兴衰之一例。

时尚，却指的是一个时期的高精尖生活模式。能选择这一模式的人，不仅应具有一定的经济实力，而且应有一定的修养，他不是被动的，而是把握主动选择权的，因此时尚是一种有时显得未免曲高和寡的高雅文化，时尚的出现往往是静悄悄的，其更新推进往往也是相对缓慢的，有一种从容不迫、气度轩昂的品质。

时髦，是一种趋同的行为，所以有"追时髦"或"赶时髦"一说。

时尚，是一种力求突出个性的展示，其要义在独一无二。服装商店的服装，凡一式制作很多件的，基本属于既非时髦更不与时尚沾边的"大路货"，当然这样的服装对于社会是很重要的，因为大多数消费者无论从购买力还是功能性要求上，都需这样的制品来满足，面对这大多数消费者，把这一类服装设计好制作好，是很重要的；凡一式只做数件，或一式中分流出若干变体，每一变体也至多不过十件，这类的服装，很可能就是时髦服装了，这样的服装，购买者在购买时，功能性需求已降至末位，他或她也不太在乎较高的价格，进入时髦的心理满足，跃升到了第一位；而代表时尚的服装，一般来说，是每一式只制作出一件，来静待知音的，它的设计者，为它必费了一番心力，从中体现出既与传统衔接又充满创新意识的美学追求，而购买者，也应不是为了摆阔显富，穿上它，亦体现为一种美学上的追求，展示出人类文明的一个新的瑰丽面。

当然，世界上的事，也都不能说死，时髦与时尚虽有以上的不同，但在许多情况下，它们又是互有重叠，交相影响的，比如牛仔服装，发展到今天，可以是最高档的入时尚范畴的精品，也可以是一般的层次各别的中档时髦货，更可以是低档的便宜的供人们打粗穿的日常便服乃至工作服，而不管是哪一档的，都自有其可爱之处。

入乡随乡，入城随城，既在《时尚》说时尚，那我还是要提醒《时尚》的读者：莫忘独一无二的高格调！

黑·白·灰

A：黑、白、灰是世界上最美丽的颜色。懂不懂得这一点，是雅人和俗人的区别之一。

B：这话是不是太绝对了？

A：也许。但你一定要能够欣赏这三种颜色，才能进入雅境。

B：难道红、黄、蓝这三种"原色"反而不美么？人们说颜色，常说"赤橙黄绿青蓝紫"，形容美丽，说"姹紫嫣红"、"五彩缤纷"；说不美的东西，才会说"黑不溜秋"、"白不嗤拉"、"灰拉吧叽"……

A：这要看是在什么前提下来说，在生产力不发达、生活水平不高、社会比较封闭的时候和地区，与单调的自然色对比度越大的彩色，便越会引出人们的审美愉悦，我们可以在许多的出土文物，以及至今仍存的部落民聚居地，发现这种大红大绿一类的强烈的色彩追求；有些地区如今生产力大大发展了，人们消费水平也大大提升了，社会也不再封闭而是对外开放了，于是，一方面，那里仍存在着对"姹紫嫣红"的习惯性爱好，仍生产出许多那种色彩（一般还伴随着复杂的非工业化图案）的工艺品，另一方面，那里的人们也一定会自然而然地发现黑、白、灰的美感。

B：是这样吗？

A：举一个简单的例子。在世界上有许多上面所说的那种原来未受工业文化影响的地区，他们的服装、用品，都还保留着若干非常强烈的"三原色"，于是想往他们那里销售电视机的厂家，怕他们不能接受黑色外壳的电视机，便特意生产了一些大红色外壳的电视机，一起送去销售，万没想到的是，大红外壳的滞销，那里的人也还是追求黑色外壳的，问他们为什么非买黑的，他们说：顺眼，顺眼就是好看，就是漂亮，就是美嘛！

B：可是我发现，许多发达地区的人，他们到边远地区旅游时，倒专门找色彩艳丽的手工艺品买……

A：那是工业化社会或后工业化社会的人，对未受工业化侵扰的乡野民俗的一种欣赏，那倒也是一种高雅的趣味；我们都知道，西方的现代派艺术，为突破传统的束缚，就特别喜欢乡野的乃至于原始的艺术，从中汲取营养，特别是接近原色的泼辣视觉效果。不过这种雅趣的前提，是对黑白灰的欣赏与研究，已经非常之充分……

B：到底黑、白、灰美在哪儿？

A：先从感性上说。我们都知道法国巴黎号称"花都"，巴黎老城的古典建筑，至今还让人观之赞叹，其实，那基本色调，就是深灰；当然在这深灰的"底色"上，点缀着金色、黑色和若干缤纷的彩色，构成了巴黎特有的情调，如果巴黎的建筑是大红大绿的，那就不一定会成为代表西方文明精华的"花都"了！

B：可是北京的古典建筑由红墙、黄瓦组成，不也很美吗？

A：当然！不过在中国文明中，完全由白纸黑墨构成的绘画和书法，其地位比着色的绘制品要高；在中国古代，最雅的人，他居室里必挂有水墨画和书法珍品，只能喜欢花花绿绿的装饰品而完全不能欣赏水墨画和书法作品的人，在中国也是俗人。

B：这是为什么呢？

A：因为当现实世界中，获得任何色彩都不困难以后，人们便追求"内心的色彩"，黑与白能满足人们想象力的驰骋，灰是黑、白间的过渡色，能分析出更多的层次，所以，越是发达的社会，人们便越能欣赏黑、白、灰的魅力。这也就是为什么彩色摄影技术如此发达以后，黑白摄影仍是艺术摄影的正宗的原因，你看任何一场时装表演，也几乎总离不开这三种颜色；这三种颜色与某些强烈的彩色相匹配，成为经典方案，即"永恒的主题"，如"红与黑"、"白与蔚蓝"、"灰与柠檬黄"。

B：男士最雅的西装，夜礼服，燕尾服，也是讲究黑色……是呀，为什么现在世界上最昂贵的视听设备，绝大多数都做成黑的呢？这趋势还要保持多久？

A：这起码是将延续到下一个世纪的时尚。

B：啊！黑、白、灰……

你的细节

朋友装修完了他的新居，请我去鉴赏，我在他引导下把各处都转了一圈后，不由得夸赞其堂皇富丽、优质高档，他非要我说说有什么不足之处，我便告诉他：缺乏令我眼热的细节。他不解，指点着这里那里说：这不都是细节吗？我这多宝格里的一对拱门形象牙，是真的泰国货；那边家庭酒吧里倒吊的水晶酒盅，一只的价值就顶一打最好的磨花玻璃杯；厅里的绿萝图腾柱，跟大饭店里摆的不相上下；卧房里的瓷瓶床头灯，光那西洋风味的灯罩，不就足让您眼花缭乱？……我说：当然，这都不错，可是……他不等我说便截断话茬，自我评价说：五星级不够，三星级总不止吧！

后来我又应邀去过这位朋友家一次，他的家还是那么豪华炫目，但他的夫人抱怨说，维护起来，真是麻烦，有时两个保姆，搭上她自己，收拾来收拾去，累得贼死，到头来一坐下喘气，眼睛那么一扫，哎，又发现壁毯上还有浮土，你说是马上处理还是以后再说？真是要命！而他，也说自己并不爱在家里待着，因为家里虽同宾馆饭店一样地好，但在宾馆饭店你只管放开享受，弄乱弄脏了自有服务人员来拾掇，在自己家，那反而麻烦，比如吃饭时一不小心把菜汤肉汁掉到了地毯上，那善后的过程真是令人身心俱伤！

离开朋友家里，我不免腹诽一番，依我想来，朋友这样装修他的居室，这样设计他的家居生活方式，说得严重点，是等于取消了严格意义上的家居乐趣。家，或曰私人空间，无妨豪华，无妨奢侈，只要你财源清白，你愿怎么折腾，悉听尊便，但你如果把它弄得与宾馆饭店几无二致，把私人空间与公众共享空间"一体化"，那就蹈入误区了。

家，私人自享空间，其最大的特点，应是随便。随谁的便？当然是随自己的便。装修自己的家庭，不是为了向来客展示其档次风貌，那里应是一个"游人止步""非请莫入"的私密场所（特别是卧室部分）；就是邀请客人来，招待时让其巡视一番，所引以自豪的，也不应是"你看像不像五星级宾馆"的肯定性回应；自己如果从星级宾馆一类地方回到家里，更不应是一种"从大星到小星"的感觉。

那么，怎么体现出作为家，作为纯粹私人空间的特色？我认为，那就是一定要若干，乃至许许多多属于自我的个性细节。我的另一位朋友，她和她先生很富裕，他们家里，也很置备了一些他们确实需要、喜欢的高档商品，比如他们都爱听音乐，所以他们有极昂贵的丹麦音响，放在一般客人看不见的地方，也不轻易邀客人共听：可是，他们的居室地面，至今一直保留水泥原貌，地毯就直接铺在水泥地面上，他们说他们喜欢水泥地面的质朴韵味；他们认识不少著名的画家、书法家，可是他们从不向那些人索要字画；她本人一贯喜欢剪纸，我从旁看出，她剪出的那些大幅作品，都实在不敢恭维，可是他们墙壁上经常挂出她的剪纸新作，琳琅满目，构成他们家的另一独特细节；他们也不是买不起宾馆饭店摆放的那类观叶植物，可是他们说最怕回到家里还是一种 HOTEL、OFFICE 的感觉，所以他们每年都在窗台上种些最普通的喇叭花，入夏，他家的西窗被绿叶掩映，每晨喇叭花怒放；另外，他们家到处放着些草编筐藤编筐，沙发边、床边、饭桌旁乃至厕所恭桶前都有，里面杂乱地撂插着些报纸杂志和打开的或折着页子的书，以便他们走到哪儿坐在靠在哪儿都能随时地"开卷有益"；说来你怕不信，他家还有一个细节：他们不置备彩色电视机，只有一台国产的黑白电视，因为他们不喜欢看电视，看也只看新闻，而且他们偏认为黑白灰三色的电视画面看着舒服……他们就这样，拥有一个在社会公众空间中游弋累了，吸引他们归去，泊靠生命之舟的纯私人空间，其中充满了令他们自己轻松欢悦的个性细节。

亲爱的朋友，如果你已拥有一个家，你有属于自己的细节吗？有多少？是什么？

愿你的生命，不仅体现于大方面的壮丽，也融汇于你自己那与众不同的独特细节。

休闲六感

休闲是忙人生活乐章中的休止符，是事业型人士攀峰中的小憩回望，是成功者给自己的慰藉与褒奖。休闲也有雅俗之分。雅者的休闲，首先要放松身体，而放松的第一步骤，应是细心地沐浴。虽然沐浴本是每天都有的一环，但进入休闲状态的沐浴，却应有所不同。可以使用更高级更符合自己个性的香波、浴液、润肤膏、香水……可以更自觉更充分更细腻地体味身体在沐浴中的快感；休闲时如不是兼有社交活动，那么，男士沐浴后可不必化妆，女士则宜淡妆。进入洁净而放松的身体状态，是休闲者的第一乐章。

然后应是选择最可心的休闲服，体味完全不同于工作与社交的那些正式场合的"衣感"。在前面所说的那些场合，"衣感"多半要从他人的目光里来检验：是否得体？是否悦目？是否高档？……如都得高分乃至满分，那么，即使腰部、腋部和裆部有紧箍感，行动间不得不小心翼翼，坐下时要顾及再站起时不至留下惹眼的皱折等等苦处，也都甘愿挺过。休闲的"衣感"却排除了他人眼光这一因素，可以放肆地享受几乎所有部位的宽松熨贴，在样式和色彩的选择上既可千奇百怪，也可返璞归真到"无样无彩"的地步。

休闲的体态，当然可以与工作中社交中大相径庭，不过，以为既在休闲，无论什么丑态都可任由自便，那就错了。雅士的休闲体态，于放松中有一种悠然的韵味显现，于随意中有一定的优雅章法，也就是说，不论是行走运动，或倚或靠，或双臂交抱胸前，或双掌叠放脑后，甚至躺在休闲椅上，都应有一种把自我体态艺术化的欣悦感，一位休闲中的雅士对我形容他的这种感觉，用了"整个儿一个人体艺术"的说法，此种境界，凡休闲一族，都应进入。

休闲的方式，当然多种多样，大体而言，有动、静两个流派。动即参与运动；静即觅一地静养，当然更有动静结合的方式，如钓鱼；不过，无论动还是静，最好的休闲方式，总离不开对大自然的亲近。所谓事业，所谓成就，都主要与他人、群体、社会相关联，在工作和社交中，即使处于自然的美景中，也往往不暇细赏，甚至于浑然不觉，唯有在休闲中，成功人物才能暂且把功名利禄抛到一边，来跟天地山川江河湖海树木花草野生动物亲近，这时的感觉，不再是"天生我材必有用"，而是"我乃自然一骄子"，焦虑都消，而心旷神怡。

休闲可以是一人独处，当然更多的可能是与人同乐。如还是同僚、同仁、同窗乃至于竞争、谈判、合作的对手，那就并不是休闲，而只不过是一种以"休闲"为包装——如野餐会、高尔夫球赛——的社交活动罢了；真的休闲，应是与恋人、亲人、友人的带有私密性的共享活动，在这一过程中，我们可以获得休闲中最宝贵的感觉，那就是属于个人的情感宴飨。在私密的情感天地中获得了大满足的人士，他在社会性事业的奋进中，必有更多的人情味，并对困难和挫折有更坚韧的承受力。

一段休闲时间临近结束，我们会有休闲中的第六种感觉，那就是在放松之后，勃勃的投入欲涌动于心；在享受之余，虎虎的奋斗欲贯于全身；于是，脱下休闲服，我们又回到了人生的战场。

能逐一进入休闲六感，又从容退出的人士，是有福的！

合　璧

　　玉璧当然是美好的东西，有两种玉璧特别讨人喜欢：一种是极为纯净的，显得晶莹高洁，品味醇厚，令人怡然爽目；另一种则是所谓的"合璧"，就是它由两种以上的美玉天衣无缝地构成，或质地相异而组合巧妙，或色彩不同而相映生辉，显得华贵富丽，奇诡神秘，令人联想无穷。

　　以"合璧"的风格创造出具有浓郁特色的事物，也是一经久不衰的时尚。

　　自本世纪以来，在我们脚下的土地上，就出现了许许多多所谓"中西合璧"的东西，比如建筑，拿上海来说，一方面，随着各西方强国在那里建立租界，各式各样的西方建筑，接二连三地开始涌现。另一方面，在租界内外，一些中国的军阀、官僚、工商业主，也陆续盖起了一些投资不吝的房屋。他们一方面向往西方人的高楼大厦，特别是西方建筑外部线条的错落花哨与内部设施的完备考究，另一方面，他们又留恋中国文化传统中的诸如对称、环合、中庸、静穆等因素，故而他们让设计师造出了一些"中西合璧"的建筑。上海城区处处皆可看到的所谓"石库门"房，我以为便是参照西方"公寓房"又结合中国古民居楼而设计出的一种"合璧"，中国共产党便诞生在这样的一栋房子里，我们还都很熟悉的遵义会议会址，那所楼房，也是典型的"中西合璧"。在北京，现在也仍保留着不少这类的建筑。例如张自忠路东头路北的原北洋政府官邸（当年"三一八惨案"即发生于其大门前），便是一个很大的"中西合璧"建筑群。

　　这十来年里北京所建成的星级饭店，有许多诚然是"全盘西化"的，如长城、昆仑，但王府饭店和台湾饭店就都是"合璧"的造型，看上去别有一番味道；再如贵宾楼饭店，外观上无甚特色，里面却是极富巧思的"合璧"设计，我特别欣赏它那二层自助餐厅的构想，整个厅堂装修与家具设备虽是欧陆风格，向南的一面却有意搞成通体的落地窗，恰好让窗外早有的一段皇城红墙显露无余，典型的中国宫廷红墙黄瓦映入厅内，令人不禁眼睛一亮，这"借景"真是太棒了。

　　其实"中西合璧"又何止体现在建筑上，像服装设计、日用品外观设计与包装设计，乃至个人的发型、修饰，都可以用"中西合璧"的方式，取得摄人心神的效果。而"合璧"的方式也未必只是"中西"的"合"，"东方风情"与"西方风情"可以合，"北方风格"与"南方风格"也可以合，还可以有无数"合璧"法：阿拉伯与古希腊、黄土高坡与蓝海碧波，中国书法与马蒂斯，巴拿马草帽与京剧脸谱……在"合璧"的创意中，设计者与享用者，都能获得极大的身心快感。

娓娓道清贫

有一本书，已经连续三年蝉联日本畅销书排行榜，就是中野孝次的《清贫生活》。

日本是一个早已经历过市场经济大繁荣的发达国家。经济的高速和高度发展，使大多数日本人分享到了不少好处和乐趣，比如市面货架子上总堆满丰丰盈盈的商品，只要你有钱，什么都买得到；而要维持一种小康而体面的生活，一般人只要努力工作，也都能挣到相应的工资；休假时到国外旅游，已是很多人的"家常便饭"；而在世界各地，只要亮出日本人的身份，总不至于遇到经济歧视的眼光。当然这种经济繁荣的背后，也充满着问题。且不说日本人被外国人普遍视为"经济动物"，日本与美国之间的贸易摩擦越演越烈，日本人在遭受过日本侵略的各国民众心目中还是难以唤起发自内心的好感；单是日本社会生活的内部，就存在着许多令人焦虑的因素，特别是与物质极大丰富形成鲜明对比的精神匮乏现象，真是比比皆是，触目惊心。最近日本东京所发生的地铁放毒事件，更显示出这个从上到下普遍追逐经济成就的国家，所潜伏着的精神危机，已有多么严重。

现已初步查明，日本的"奥姆真理教"涉嫌放毒。据报道，一位得过博士学位的医生，奉"奥姆真理教"教主麻原彰晃的指令，把装有沙林毒气的包裹提上了地铁列车。当他将那包裹放在车厢地板上以后，下一步应做的，便是用伞尖戳破包裹，以使剧毒的沙林气漏逸出来，但他临阵手软了。他毕竟是学过医的，本是懂得生命之可贵，而且本应以救治生命为天职的，更知道沙林毒气是法西斯使用过的灭绝性气体。可是他后来终于还是戳破了那包裹，并赶快逃离了现场。他和他的同志的所作所为，造成了五千多人中毒，并有几十人死亡。

一个医学博士，本应具有理性，并且在日本社会中是不难找到体面的工作，过富裕生活的。然而他却去皈依了邪教。为什么？就因为精神苦闷，而社会又未能提供他更具魅力的思想。麻原其实是一个没受过很多教育的人，并且双目失明，自称有特异功能，从被拘捕以来的表现看，其实也并没有什么特异功能。然而麻原的宗教却吸引了若干像这位医学博士一样的富人和高级知识分子。他宣称世俗社会已然堕落，芸芸众生罪孽深重，世界末日已然来到。他甚至多次预言"世界末日"的"准确时间"。这种"崇高"（据说日文里"奥姆"有崇高之意）的"真理"，对内心空虚又充斥焦虑的人，往往具有魑魅的蛊惑力。倘若麻原的传教活动仅至于"愿者上钩"，倒也罢了。我们都知道 70 年代美国曾有过"人民圣殿教"，其教主最后是组织了全体教徒的集体自杀。那已够令人毛发悚然的了，但毕竟还没杀到教外。这回可好，麻原看到他的预言未能兑现，"世界末日"居然逾期未至，芸芸众生居然还在那么样地过小日子，依然"堕落"，他便指使他的教徒，出动到闹市之中，来大批量地实行屠杀，以完成他的理想信念。这样的以完成自我"理想"为目的的滥杀无辜，已构成反人类暴行，不仅广大日本民众对之愤慨，全世界的善良人都应同声谴责。

我为什么要扯到这件事上？因为我感觉，面对日本人的精神空间，固然麻原那是一种予之填塞的路数，并且酿成了大祸，可是，另外也有不少专注于精神世界的日本人，他们朝另外的方向作出了努力，比如大江健三郎那样的严肃作家，还有就是我们现在要特别研究一下的中野孝次的《清贫生活》。

我无法知道那位奉麻原之命到东京地铁里施放沙林毒气的医学博士，是否读过中野孝次的《清贫生活》。如果读过，他何以会弃中野的诱导，而去皈依麻原的反人类谬论？

中野孝次本人，并不认为他的这本著作，是针对日本现社会的物质繁荣与精神贫困这种鲜明落差而著的。他只是说，他建议人们追求一种内心丰盈而美好的生活。这就要采取清贫的生活方式。清贫并不等于贫穷。贫穷意味着温饱堪虞，那样内心不能进入平和安详的境界。清贫是在温饱之后，不再将物质财富的积累，看成重要的事，而将内心的修炼，当做最大的快乐。这也就是富心重于富身的意思。他也并不是主张走火入魔地去搞什么神经兮兮的宗教式修炼，他所提倡的生活理想，简单易行，朴实自然。也就是说，一个人不要热衷于钱财名利，他应过一种与大自然亲和的恬淡生活。他可能乐于读书，听音乐，看白云，默对江河，动手进行必要的生活劳作，写诗自娱，引吭高歌，善意地与亲友交往，珍惜生活中那些平凡而有趣的事物。

中野孝次的这本书，主要是从日本的传统文化中，去撷取理想的资源。他在书中引述了本阿弥光悦及其母亲妙秀，还有鸭长明、良宽、池大雅、芜村、橘曙览、芭蕉、西行等的语录、杂记、和歌、俳句，娓娓地讲述他们的故事，心平气和、循循善诱地劝谕读者进入那"古已有之"的清贫境界。比如他从 14 世纪的吉田兼好的《徒然草》一书中，引述"受名利驱使，内心不得平和，一生痛苦不堪，实在愚昧"的话，加以阐释，使读者意识到，拼命挣钱，追求豪宅名车，又在人际中角逐名气、地位、座次、荣誉，甚至夸耀自己的学问，企盼掌声、喝彩声、青睐、颂歌……都并不能真正实现人生的意义。人生的意义，应体现在不断丰富、充实自己的内心。简言之，人的物质生活简约朴实，而人的精神生活，却应广阔无边，深邃无际。

中野的这本《清贫生活》一版再版，畅销不辍，说明在日本民众里，已有很大的影响，那影响当然大大超过麻原彰晃的"世界末日"邪说。

台湾的日本文学专家李永炽，已经将此书翻成了中文，在台湾出版。出版后也成为一本流行读物。台湾的所谓"经济起飞"，已有相当历程，现在也处在经济发展问题丛生，社会精神委靡不振，而且纸醉金迷、物欲横流的诸般怪象赫然纷呈，令有识之士扼腕长叹的状况之中，中野的这本书对台湾的读者也不啻一帖对症的清凉剂。

我建议大陆也出版《清贫生活》的中译本。

大陆的情况，与日本和台湾都有很大区别。我们向市场经济转型的过程仍在继续中。温饱的问题，在若干地区还没有完全解决。先富起来的那些人，其中有不少还沉浸在成功感中，或者并未产生自我能意识到的精神危机，或者也并不是在良性地追逐财富的积累与显现的名声，而是在大肆挥霍并不愿"露富"。市场经济的"游戏规则"尚未完善，而且对市场经济走向的全盘性否定不仅来自极"左"也来自了极右。因此，中国大陆所最需要的精神食粮，还并不一定是对"清贫"的追求。但中野孝次的这本《清贫生活》还是很有参考价值。这本书提出了一个"富裕以后怎么办"的问题。这个问题目前还并不适用于全体中国人，却已显现于不少中国人面前。

对于中国文化人特别是中国作家，这本书的参考价值主要可能还并不是其内容。说实在的，这本书学术味与诗意都嫌不足。而且，我们中国传统文化中关于这方面的思想资源，恐怕比日本要多得多，如果有一位中国作家乐于用中国传统文化的资源来写一本关于清贫的书，管保能写得更充实，光是引文也便更丰富更具光彩。仅仅一个陶渊明，我们便可从他那里引伸出多少"清贫生活"的诗意美来啊！

但是中野孝次的那个文本，实在最值得借鉴。他以清贫生活为理想，但他并不是端出一副架子，仿佛他精神上多么崇高，多么了不起，他多么鄙夷、藐视万丈红尘中的芸芸众生，于是从自己的理想高度，来俯瞰他人，对不符他的理想规范者，予以严厉批判、无情打击，把文章写得像战斗檄文，甚至于像中国"文革"中"红卫兵"的大字报那样；他的立论前提，是世人可以各有理想，他与其他的人，他的理想与其他人的理想，容或不同，甚或分歧不小，乃至大相径庭，但大家是平等的，他乐于讨论，更乐于自说自话，任其如云舒卷，如花自绽，赏者自迎，忌者自避。他建议人们过清贫的生活，但绝无把俗世之人都轰到一条路上去的企图。他面对俗世，蔼然可亲，坚持自己理想，却又极愿与他人亲和。他的书里充满祥和，而不是乖戾之气。他的从容与平和，与麻原的狂躁与极端，恰成鲜明对比。

在转型期社会中，往往难免有急躁乃至极端情绪的中国文化人，可以从中野孝次这本书里，获得一种文本启示。以"革命"的方式、战争的方式，暴力的方式，"大批判"的方式，"群众运动"的方式，"大跃进"的方式，"毕其功于一役"的方式，"一揽子解决问题"的方式，"一棍子打死"或"一盆水浇活"的方式，恐怖主义的方式，当然还包括麻原的方式，在当今世界上，都无助于社会的进步和人类的提升，并且往往有害，甚至有人害。读中野孝次的这本《清贫生活》，我们不一定照他所建议的那样去过，但我们至少可以学会娓娓动听地宣谕我们的理念与信仰，以感召力而不是杀伤力，来凝聚出真理与崇高。

1995.5.31 绿叶居

时空所捕获的人质

在北京故宫现存档案里，有慈禧的大量相片，其中数量最多的，是 1903 年（光绪二十九年）在颐和园所拍的"标准照"，尤其是一张《宫中档簿·圣容帐》记载为"梳头穿净面衣服拿团扇圣容"的照片，现存一百零三张，每幅高七十五公分、宽六十公分，衬裱在硬纸板上，镶在雕花金漆大镜框中，并分别放在紫檀木盒内，外裹明黄色丝绣锦袱；估计这些照片并非留作自我欣赏，也非意在留藏宫中，是准备用于外交礼仪，作为尊贵赠品的，当初晒印时，不会取一百零三之数，可见已送出了若干，但所送出的，又不是太多，查记载，1904 年德国皇储来华，慈禧接见，曾取出一幅，托其转与德国皇后，"用黄亭抬至外部……加车随德储君赴津，送至柏林，藉代游历"；还送给过什么"外宾"，至目前尚无人细作统计。

这张"梳头穿净面衣服拿团扇圣容"的照片，我们可从紫禁城出版社编印的《故宫珍藏人物照片荟萃》里看到，与这张拍摄在差不多同时的，还有很多张"圣容"，格局大体相同，但布景、服装、饰物与所摆姿势各有变化，从布景上看，宝座与扇基本不变，宝座后的屏风，则有孔雀、寿松、丛菊等多种变化，宝座两侧的摆设也往往各不相同，或瓶荷安泰，或百果献寿……地面所铺的地毯也时有改换，但变化最大的则是慈禧本人。仅所换的服装而言，便有团寿字、竹叶青、缠枝莲、蝶花、寿蝶等多种纹饰；而她的装饰品，就更是不断地增添组合，有戴护指照、佛珠照、东珠照……有几种是戴明珠披肩拍的，那披肩系用三千五百粒大如黄雀之卵、俱精圆纯净的天然珍珠连缀而成；更有趣的是慈禧从端坐的姿态渐渐演变为各种比较随便的坐姿，以至最后干脆站起来拍，甚至于拍出了一手簪花、一手揽镜自照的"表演照"。

1903 年慈禧六十八周岁，她的七十华诞的庆典已在紧锣密鼓地筹划，大量地拍照，据说也是有关的节目之一，从 1903 年到 1905 年，她的这些照片基本上都是一个人拍的，那位宫廷摄影师便是勋龄，勋龄是一度担任清廷驻法、德等国大使的贵族裕庚的儿子，他和另外一弟二妹从小随父母到西欧生活，他在法国入陆军学校学习，在那里学会了摄影，并具备相当的水平；1903 年裕庚全家从欧洲返国，勋龄和弟妹都被召进宫中，因为当时慈禧大量时间是待在颐和园里，所以他们也就大量时间在颐和园里为慈禧服务，勋龄管理颐和园的全部电灯，他弟弟则管外国运来的小火轮，因为他们是男的，所以能挨近慈禧的时候不多，而且每晚必须出园回家去睡：可是他的两个妹妹就幸运多了，大妹妹德龄和二妹妹容龄（也有写作德菱、容菱的，因系满语译音）都成了慈禧所宠爱的御前侍从官，因为她们都通英语和法语，所以实际上主要充任慈禧接见洋人时的翻译。慈禧对外洋的了解，在很大程度上是通过这两姐妹来完成的。慈禧欲把德龄指嫁给权倾一时的荣禄的儿子，可是深受西方文化熏陶的德龄无论如何不能接受这一"恩典"。她借到上海探视父亲之机，再没返回宫廷，并终于自主地嫁了一个美国人，后并用英文写成颇有影响的回忆录，前一部分是关于童年的回忆，后一部分则是关于在慈禧身边担任御前女官的回忆，她的回忆录，特别是后一部分，颇具价值，很早便有文言与白话两种译本，那里面，对她哥哥勋龄给慈禧拍照，以及美国女画家卡尔给慈禧画像，都有很生动详尽的记述。

据德龄记述，1903 年在颐和园中的拍照，是慈禧初次照相，此说尚可讨论，因为徐珂的《清稗类钞》里，有关于日本摄影师山本赞七郎应诏为慈禧在颐和园中拍"簪花小照"的记载，并称照完后当天便于庆王邸消夏园中冲洗，慈禧不仅"许以千金之赏"，并"内廷传谕又支二万金"。一张照片获如此厚酬，惜乎当年尚无《吉尼斯世界纪录大全》，否则定当入选。日本人为慈禧拍照事，当在庚子（1900 年）前，那时宫中一定已有拍照之举，因为在现存于故宫博物院的旧照片里，虽无慈禧和光绪的，却有一张珍妃的，珍妃于八国联军逼近京畿，慈禧挟光绪"西狩"，临行前被推于井中了，所以她的这张照片，是上世纪宫中即有照相事的不争之证。但不管怎么说，1903 年到 1905 年勋龄为慈禧的拍照，才使慈禧终于迷恋上了西方这一"奇技淫巧"。

照相术的发明，是人类社会的一个伟大进步，一般史家都认为成型的照相术，是由法国人路易·达盖尔与英国人塔尔博特在互不相通的情况下，分别发明出来的。前者的成像方法就被称为"达盖尔法"（Daguerreotype），后者的则被称为"卡罗法"（Calotype），时间约在 1839 年，很快风靡欧美，并传进中国。1844 年 8 月，两广总督兼五口通商大臣耆英到澳门同法国史臣拉厄尼谈判签约，意大利、英国、美国、葡萄牙等国官员向他索取照片，他毫不为难，立即拿出一式四份分赠，并将此事奏予朝廷："（洋人）请奴才小照，均经给予。""小照"便是当年中国人对照片的称呼，我 1988 年在法京巴黎的摄影博物馆中，见到过耆英的"小照"，署名朱利·埃及尔（Jules Etier）摄，此摄影者系当年法国海关总检察官。到 1860 年左右，在上海、广州出现了外国人开的照相馆，并出现了一些中国最早的摄影家；北方虽此风晚到，但到 1875 年时，天津也出现了若干家照相馆，其中最著名的有梁时泰照相馆、恒昌照相馆等。至于京城，直到 1892 年才有泰丰照相馆开张，虽后来，却居上。这家照相馆拍摄了大量京剧剧照，并在中国最早拍摄了"活动照相"（即电影）。就这样，照相术这个"泰西怪物"，从洋而中，由南而北，从官场到民间，一步步向宫廷围渗，并终于在 1903 年，获得中国当时实际的最高统治者慈禧的青睐。

慈禧个人的奋斗史，恰重叠于中华民族"最危险的时候"，就她个人而言，那真是极大的成功——竟打破了清朝列祖列宗的几层禁忌，在同治、光绪两朝成为实际上的最高统治者，并在临死前还钦定了小皇帝宣统；在半个世纪里，她渡过了一次又一次的政治危机，击败了一个又一个对她那至高无上的权力进行挑战的政敌，又始终过着随心所欲的相当富有审美情趣的帝王生活，正是在她的亲自培植下，一个至今仍令全世界惊叹不置的艺术瑰宝——"北京歌剧"即京剧，正式形成；但在当代史家笔下，慈禧却是一个几无争议的反动人物，在戊戌变法、义和团运动等一系列重大的历史事件中，她的确都扮演着可耻的阻碍历史前进的屠夫角色，她的穷奢极欲、武断乖戾、反复无常，更令人厌恶唾弃。中国近代史的那五十年里，也许无论谁占据那最高的决策地位，也无法遁逃于整个中国的悲剧性命运，因为在人类历史进程中，某些深处的机制是难以抗拒的，但慈禧个人的擅权、保守、狭隘、顽固，有时甚至表现为一时震怒、一刹错念，而以她个人的那点绝对无法适应中、西文化大碰撞的见识和无人可以驭制的乖戾性格，影响着中国历史的具体进程，并波及几乎每一个那时代中国人的生活，也为她死亡以后的中国埋伏下了无数的玄机。

据德龄回忆录的第二部《清宫禁二年记》，慈禧在颐和园中，心情好时，"极形仁慈"，"如慈母焉"，她在德龄的住房中看见了德龄在法国拍的照片，惊而言曰："噫！此皆尔之影片乎？较之画像佳甚，且益逼真，曷为不早示余？"后得知管电灯的勋龄即擅摄影后，立即召见，并迫不及待地就要他给自己拍照，命曰："余拟先摄一乘舆视朝之状，然后再摄他影数种。"第二天天气晴好，勋龄携摄影器数具，候于宫院内，慈禧步入院，一一视之，听勋龄详解摄影之法后，即命太监一人立于器前，她则由聚光镜片中，望其形状，旋忽惊问曰："尔首曷为颠倒？！"听了德龄一旁的解释，转疑为喜，于是登御舆，命舆夫昇之行，将过摄影器时，勋龄已拍一影，慈禧过摄影器后，问是否已摄取其影，得知已摄，很不高兴，曰："曷不先告余？！……后再摄时，须先语余，俾令面容和悦也。"这天临朝，她竟不管事之缓急，只匆匆坐谕了二十分钟，便宣布退朝。各大臣既去，她即步入朝堂之院内，命昇御座入院，后置屏，下置足凳……又命宫眷取长袍数袭，俾其选择，然后便大拍特拍起来，拍讫，她便要勋龄展示照片，勋龄解释还需在暗室中冲印，她竟说："此无妨，余愿一往视之，固不问室之如何也！"于是将近七十岁的慈禧又兴致勃勃地与勋龄、德龄同入暗室，在红光中观看冲印过程，刚冲出负片，她马上取到手中观看，又惊疑为何相上脸、手皆黑？待给她解释还需再印正片的道理后，她感叹说："原来如此，诚可谓到老学不尽矣！此事以余视之，洵属新颖，今余摄影，心中甚慰！"时已中午，她去休息，下午三点半钟，午睡甫醒，她便匆匆著衣，迥异恒时，衣毕，即赴勋龄处，亲观晒印，当时是用天然日光晒印，慈禧竟不辞辛苦，坐视勋龄操作，足有两个小时之久，既得第一张，手持弗释，更阅其他数张，及复视手中者，讵已变黑，于是再次惊呼："胡为变黑？！抑晦气乎？！"这时，勋龄的前程，在几秒钟里，恐怕真是悬于发丝了！

德龄一旁忙予解释，这时的解释一定要：一、言简意赅；二、使用慈禧易懂的语汇；三、又不能有丝毫令慈禧尴尬的副作用；四、营造出欢愉的气氛。果然，德龄在以上四个前提下，把显影后如不及刚用药水定影，相片还是不算最后完成的道理，让慈禧终于明白，于是这位最难伺候的老佛爷方转怒为喜曰："是诚有趣。"从此她拍照兴趣大发，竟很有点"不爱江山爱照相"的味道。

拍腻了"标准照"，慈禧又大拍"生活照"，并简直允许勋龄用抓拍法随时随地拍摄起来，这都还不过瘾，于是又搞了大量的"化装摄影"，其中最多的是在颐和园与宫禁内中海荷花丛中所拍的观音照，慈禧自扮观音，她的爱侍李莲英扮韦陀或善财童子，庆王的女儿四格格伴龙女，等等。现故宫博物院所藏清内务府档案中，保留了不少有关慈禧照相的口谕笔录，如光绪二十九年（1903 年）七月，为准备十六日（阴历）的拍照，提前多日便有如下口谕："海里照像，乘平船，不要蓬，四格格扮善财，穿莲花衣，着下屋绷，莲英扮韦陀，想着带韦陀盔、行头，三姑娘、五姑娘扮撑船仙女，带渔家罩，穿素白蛇衣服，想着带行头，红绿亦可，船上要桨两个，着花园预备带竹叶之竹竿十数根，着三顺预备，于初八日要齐。（见《紫禁城》杂志 1980年总第四期所引）所以万不要以为在那"多事之秋"里，这位中国独裁者脑子里所装的，皆为军国大策，或只是醉心于与"维新派"的政敌进行"路线斗争"，她实在是用了很不老少的时间，开动脑筋，花样翻新，色色精细，奇想迭出地大照其相，也就是痛享了一番这由西方"蛮夷"那边传来的"奇技淫巧"。以至她人虽早化腐灰，而"圣容"却遗留得未免有点"供大于求"了。

从德龄的回忆录中，我们可以看到，慈禧对西方，实在是很有好奇心的，在维持其自尊心的前提下，她是很愿与西方事物接触，更愿听取种种形容介绍的。她对西方文化，并没有一个绝然要抵御的前提。那时的慈禧，已多少具备了一些关于西方的地理、历史知识，不再以为法国、西班牙等无非都是英吉利的狡狯"化名"，以便多向中国索要赔额；她并对英国维多利亚女王甚表钦佩，有时还以彼自比，当她宣谕要甫归国的裕庚夫人带领德龄、容龄两姊妹到颐和园觐见她时，裕庚夫人未免惶恐，因为她们母女都来不及制作满族服装，慈禧却让她们马上穿着西洋裙装入见，她们遵旨去了，慈禧对她们的洋装虽觉奇诡，却又甚感美丽，竟因此命令她们就那么洋装打扮地随侍身边。有一回，听德龄说到西洋人开舞会的事，她竟让德龄、容龄两姐妹在西洋留声机放送的西洋舞曲中，向她演示西洋人的舞姿（该姐妹在法京巴黎曾向后来名声大噪的依莎多拉·邓肯学过舞蹈，还公开表演过芭蕾舞，因此在慈禧前的表演不过是小示其技），慈禧虽甚感惊诧，却又兴味盎然；直到几个月后，德龄她们感到西洋装扮实在不能适应中国宫廷的生活方式，并且慈禧也终于感到看腻，这才命她们改换满装，在各地高官纷纷向慈禧敬献各种贵重的寿礼时，慈禧难得有看上眼的，但德龄母女从法国巴黎给慈禧订购的化妆品和洋靶镜，却令慈禧喜不自禁、爱不释手；慈禧很乐于接受西方外交使节夫人的觐见，并很注意给对方留下"文明印象"，比如说，在颐和园中，宫眷们，包括光绪名义上的妻子、后来的隆裕太后，当然更包括德龄、容龄等女官，都是绝对不能坐下来吃饭的，即使不在慈禧视野之内也不能坐，可是在颐和园里招待外国使节夫人时，所有与宴的宫眷都有了座位，并且布置得就仿佛从来如此一样——这并非是"维新派"的建议所导致，而完全是慈禧自己的决定。在《故宫珍藏人物照片荟萃》一书里，我们可以看到一张慈禧与几位洋使节夫人的合影，照片上甚至有一个才几岁的洋女童，俨然站立在慈禧的宝座一侧。面对这种与西洋人亲和的"圣容"，我们很难想象，就是这个慈禧，曾在 1900 年义和团运动的高潮中，企盼并支持端王（载漪）等率领"拳民"，将北京的使馆区夷为平地，并将所有洋人从中国土地上予以肉体消灭或扫地出门，毕"攘外"之功于一役。虽然她的"迷乱"只有不长的时间，并付出了扮作农妇，仓促挟光绪出逃西安的惨重而丢脸的代价，可是到勋龄给她大照其相的这一年，她似乎终于悟出，对于西洋人，不管怎么说，你到头来已无法回避，不让他们进来，或把已进来的统统轰走，都已全然没有可能，你只能与他们耐心地打交道。在 1903 年所拍的与泰西妇人的合影中，我们可以从慈禧的脸上读到这种既无奈又理智的表情。

德龄回忆录称，在美国画家卡尔终于画完了慈禧的油画像后，慈禧问她，卡尔女士可曾问及庚子年的"拳乱"？并由此向德龄痛吐心曲，承认听信端王、澜公（载澜），放纵他们让"拳民"去攻使馆、杀洋人，是铸成了一生中的大错，后悔不迭。

德龄回忆录的这一部分，有人指为不可尽信，其实，从《景善日记》等其他史料可知，慈禧在庚子年之所以终于决心与洋人誓不两立、决以死战，是因为听说洋人下了正式照会，要她把权力交给光绪，也就是要她下台，这是她万万不能的，即使有人说洋人的这一对中国政治权力的公然外交干预，是端王他们放出的谣言，但来自洋人的这种干预性压力，客观上至少是以不那么正式的方式表达过的，并非子虚乌有，所以，这就启示了我们，到头来，慈禧的所有政治决策，并非一定是她刻意保守，而是她遇事必权衡其对她无上权力是否构成了威胁。在1901年8月自西安回銮北京以后，通过与帝国主义列强签订了屈辱苛酷的条约，她感到洋人们似乎并不怎么干预她的权力行使，她的"灭洋"情结反得化解，于是，自那以后，屡有颇具革新意义的诏令经她首肯颁布，如1901年8月銮驾刚歇便命各省于省城及所属府州县设高等、中等、初等学堂，又命选派留学生出洋留学；12月，许宗室子弟出洋留学，命满汉通婚，劝谕女子勿缠足；1902年7月，颁行学堂章程，大体采用日本制度；12月，派员参加美国圣路易城博览会；1903年2月，命保护出洋回国华商，又派员赴日本考察金本位制；7月，设商部；九月，命各地方大小文武官员振兴商业，公布商会、铁路简要章程；11月，派京师大学堂学生三十一人赴日、十六人赴西洋各国留学，该月17日，北京译学馆开学；12月，颁《钦定大清商法》……而至1905年7月，爽性宣布结束科举，"一切士子皆由学堂出身"；11月，派载泽等五大臣出洋考察宪政……这时的慈禧，是只要你不去撼动她的权力，一切都好商量。她的权力概念，是以她个人为中心的，比如我们说："'辛丑条约'是丧权辱国"，我们这话语里的"权"，是抽象的"国权"，可是慈禧却只看重是否还能由她"一个人说了算"，只要最后还是由她"定盘子"，那就哪怕定的是个向列强割地赔款的"盘子"，或定的是个简直与"革命党"要求并无二异的结束科举的"盘子"，她都觉得并未"丧权"。反之，哪怕你行起权来比她更守旧，或对"革命党"弹压得更严厉，或竟真将"外夷"攘于疆外了，她竟不能"定盘子"，那她也是不能甘心的，在她来说，那才是"丧权"，是暗无天日，是绝不能容忍、接受的，更明快地说，要卖国也得由她卖，要维新也得由她行，要杀洋人也得由她杀，要优待洋人也得由她待。慈禧专制中国半个世纪，她的心眼儿里，装的就是这样的权力观念，她对亲儿子同治皇帝都不放权，同治死后把妹妹的儿子光绪抱来充当傀儡，光绪死了，她眼看也活不成了，到生命结束的前一分钟，她仍想着不能"大权旁落"，一定要再抱一个亲妹妹的孙子（虽为侧室所生）当傀儡，并要她的亲侄女儿隆裕皇后替她再搞"垂帘听政"那一套……

且说慈禧在 1901 年后虽首肯颁布了一系列似乎是顺应时代潮流的命令，可是她的这一切"开明态度"都来之晚矣，革命党不能饶过她，只承认光绪权威的"保皇党"也不原谅她，帝国主义列强也只是利用她的昏庸一而再、再而三地从她那里榨取中国油水，既然她实际上已成为帝国主义列强瓜分中国的一个工具，派几个洋太太在她面前承欢，送她一些洋玩意儿解闷，让美国女画家给她画像……直到接受她那大幅的"梳头穿净面衣服拿团扇圣容"，又何乐而不为呢？

翻看着《故宫珍藏人物照片荟萃》里慈禧太后那一幅幅相片，我把相片里的她仔细端详，忽然有一种麻脊刺心的惊悚，我意识到，在那些相片里，埋藏着一种超越历史评价、道德裁决的更悠远深邃的东西，一种人性的东西，个性的东西，命运的东西，说不清道不明却又能让我们刻骨意会的东西……

是的，那是真的——人，实在是一定时空所捕获的人质，不仅是慈禧，任何一张旧照片里的人物，彼时彼处彼人所凝现的那一瞬，从这个意义上去观察，都能让我们思绪悠悠升腾……

1994 年 8 月 29 日于绿叶居

付出代价

在世为人，我们总得为自己的作为付出代价。并无某种作为，而竟因此被迫付出惨痛代价，是为冤屈。有某种作为，而竟被一笔抹杀，化有为无，逼其消匿，则是不应付出的诡异代价。

读蓝翎的《龙卷风》，掩卷不禁喟叹：此兄的命运中，既有被化无为有的冤屈一面，亦有被化有为无的一面，并因此而被迫付出过既惨痛而诡异的代价；这不仅构成了其个体生命岁月的蹉跎，才华的掩没，感情的重创，心灵的煎熬，更折射出了一个政治龙卷风接着再一个政治龙卷风的那个历史阶段里，世道人心的扭曲，特别是某些人的人性中那些令我们惊悸的东西。

蓝翎原名杨建中，我甚至是在读到他这本书时才知道的。蓝翎这个符号很有价值，因为 1955 年时，我虽还只有 13 岁，却因为爱好文艺，并且，夸张一点说，算是个早慧的文学少年吧，又因为受文化气氛很浓的家庭熏陶，已半明不白地读过《红楼梦》，因此，当时报刊上热热闹闹地批判起俞平伯的《红楼梦研究》，也是注意过的；当时哪里知道什么大背景，也不懂得这类事会有什么大背景；但李希凡、蓝翎这两个频频出现的名字，是不仅记得住，而且印象深刻的，倒也不仅是因为从当时报刊的导向上，知道他们两人是正确观点的代表者，而是，虽不一定读懂了他们的文章，但读时确实觉得有一股子冲劲与新意，因此非常地佩服，甚至于相当地崇拜。

可是，等我长到十七八岁时，蓝翎这个名字，便已在我的阅读视野中消失。当事人对自己的"消失"过程，自然更有刻骨铭心的记忆，《龙卷风》中告诉我们，那篇最初引起轰动的驳俞平伯《红楼梦简论》的文章，首发时明明署着李希凡、蓝翎的名字，可是，到 1957 年之后，其作者却先变为"李希凡等同志"，再变为"李希凡同志等"，最后干脆演变为"李希凡同志"一人。

"文革"中，公开发表了毛泽东的重要论著《关于红楼梦研究问题的信》，信中提及"向所谓红楼梦研究权威作家的错误观点的第一次认真的开火"，"作者是两个青年团员"，并说"事情是两个'小人物'做起来的"；全文中多次使用了"他们"来称呼"这两个青年"，在肯定着引起他重视的两篇文章都是"两个"而不是"一个"人写的；但 70 年代江青却在同美国的一位大学女教师谈话时一口咬定说："Only one！"这样，蓝翎便不仅成了一个"死魂灵"，简直形同一个"谣言符号"了！

"文革"中我在一所中学当教师，记得一回下乡劳动时，歇工的时候不知怎么就提到了《红楼梦》、俞平伯、李希凡什么的，有位同事便说："到底有没有蓝翎这么个人？"另一位 50 年代上过北京的工农速成中学，便证实说确有其人，教过他语文，很随和，常跟学生一起打篮球，那时候确实跟李希凡一起写过关于《红楼梦》的文章；既然确有其人，那么，"后来怎么没听说了呢？"也有人猜"可能五七年打成右派了"，但在可资引用的给人印象深刻的"右派"符号系列里，大家似乎都不记得有"蓝翎"这个符号；于是有一位同事便从逻辑上推导说："兴许当初李希凡写那篇文章时，没预料到后来会被毛主席表扬，成为那么重要的文献，所以，他就很随便地，让他的同学蓝翎也署上名了……"既然如此，嗣后将附骥者删却，便无足奇怪了。这是当年我们一些最普通的社会成员对蓝翎这样一个符号的消失的绝无恶意的诠释。我们虽无恶意，但导致我们如此去推想的种种导向与暗示，却不能说全无恶意吧？

事情到了今天，我虽然已经认识蓝翎好多年了，如果我不读《龙卷风》，我还是很可能弄不清这一桩公案：因为，一、我以为蓝翎已是当今中国最出色的杂文家之一，其文学地位仅此一端便足以鼎立，四十年前他是否写过批评俞平伯的文章，已并非其"安身立命"的唯一基石；二、我读到过 1993 年第四期的《红楼梦学刊》，上面有李希凡的文章，他在文章中忆及当年时说："无论我怎样富于幻想，也从没有幻想过因为写了两篇文章而为毛主席所重视。"这是很新的文章，用语十分地肯定，没有说"我们"，而明明白白地说"我……写了两篇文章而为毛主席所重视"；我无论怎样富于幻想，也幻想不到这种印在白纸黑字上的文章中的这种宣布，还会有悖于事实；三、事情过去这么多年，大多数人都已形成一个共识，就是毛主席所发动的这场对俞平伯，后来更波及胡适的大批判，有过火的地方，把学术问题政治化了，埋下了后来阶级斗争的弦越绷越紧，以至导致"文革"浩劫的种子，因此，当年那首先为毛主席所重视的批俞文章，究竟谁为头功，似已不会有人强占，李某既然公开申明系他一人所写，我们也就毋庸再疑。

但是读毕《龙卷风》，我愕然了。所惊愕的，当然不是蓝翎所缕叙的由无数真实的细节所组合而成的难以挑剔的总体真实——那引起毛主席重视的文章明明白白不是一个人写出来的，而确确凿凿是两个人合写的；问题是，如果说 1957 年以后蓝翎这个活生生的文章起草者及参与修改、定稿全过程的"两个'小人物'"之一的突然消失，还是可以被理解的话，那么，到了 1993 年，还有人站出来说，那引起毛主席重视的文章，并无蓝翎的份儿，而且这个人不是别人，正是应该最知情的人，那么，这是怎么回事儿呢？从《龙卷风》里得知，该人同年还有与采访者的谈话，公开印行流布，他不否认与蓝翎合写过文章（这当然是无论如何也实在无从否认的），甚至乐得承认他们联名出版的那本书里，蓝翎写得甚或还多一些，但那头一篇引起毛主席重视的文章，却"是我写的"。

蓝翎的这本书，有着一个非常值得称道的文本，或说是叙述策略，他重视细节的真实，凡亲身经历的，亲耳听到的，确在现场的，便尽可能详尽；凡他未亲历亲见的，便绝不臆测：有的说起来其实很能"讨巧"的事情，因为非他当时所知，尽管现在有他人材料可引，也宁愿付之阙如。比如当年《人民日报》的总编辑邓拓忽然半夜找他，面谈拟转载他们两人文章的情形，便叙得丝丝入扣，而邓拓为什么会那样急迫地接见他，以及为什么后来《人民日报》竟并没有转载他们的那篇文章，而是改在《文艺报》转载了，他就都不妄作描述。

蓝翎应当写出这件事的真相。因为这是 1949 年后，继 1951 年批判电影《武训传》，以文化为发端，所引发的第二场政治龙卷风。对这场龙卷风的诠释与评价是一回事，那确实还可以平心静气地进行学理性认知与探讨，但对其基本事实，比如说那两篇引起毛主席重视的批俞文章，究竟是一个人还是两个人写的，具体怎么写出来的？却不应有含糊的记录，更不可能是"两人说"与"一人说"的"二说并存"。

蓝翎写出这些真相，你可以认为他是对多年来，甚至于直到 1993 年，被不公正地予以抹杀的遭遇的一种理所应当的抗争，是他为大半生所不应付出而竟然付出了的"化有为无"的荒谬代价的一次诉诸公众的补偿。但细读他的文本，你便会感受到，其实他已超越了一己的恩怨得失，他是通过这样的陈述，引发出我们一连串的思索，从为什么会发生"化有为无"的事情，到为什么至今那一位作者还要贪两人之"功"为己有？难道是除了这一价值载体，那一位作者便再找不到另外可在公众中确立其价值的基石了么？

蓝翎的这些关于两个人合写出引出毛主席重视的文章，并引发出一场政治龙卷风的回忆文字，当然也是在让那些过去和现在抹杀他的作为的人，付出他们应付出的代价来。面对着这样厚厚的一本书，说当年那篇引发龙卷风的文章只是他一个人写的那位人士，无论如何都是在付出代价：或者向公众改正他的错误说法，并说明之所以要错说的原因；或者拿出他的过硬材料证明是蓝翎说谎；或者保持沉默，任蓝翎的这本书流布——那其实是更惨痛的代价。蓝翎在书中说，他写出这些来，甚至作好了打一场官司的思想准备，他是既有作为，便愿付出代价的；对方是否愿付出到法院去起诉，告蓝翎"歪曲事实"，伤害了他的名誉，侵吞了他一个人的学术成果，从而引发出一场热闹官司来呢？这也不是没有可能的。但起码我不愿看到这样一场热闹。我所希望的，是在言论自由大大展拓了今天，还是各自以自己的文字，公诸报刊专著，来面对公众，这样地付出代价，才最值得，也最恰宜。

或许有人读了《龙卷风》这本书以后，会觉得蓝翎的写法，未免太"纠缠于个人恩怨"。单纯的个人恩怨，写成文章，诉诸公众，自然不足为训。然而深嵌于大背景中的恶意打击，罗织诬陷，乃至于化无为有，推人落井还要继之下石，这样的个人行为，所构成的起码是道义上的罪衍，在事过境迁之后，竟一概推诿为大背景所致，甚至于装聋作哑，被很客气地问及时，还要矢口否认，我以为深受其害者，是完全可以，并且应当，通过实事求是的描绘分析，将其不光彩的言行，公之于众，令其付出应有之代价的。该书回忆"反右"中竟因一篇根本没有发表，并且内容上也并没有被所强加的那些罪名的文章草稿，被错划为"右派"的遭遇，便涉及大背景下的个人因素，并且对那给他造成不仅是自己，而且株连到家庭的突来困境的某人，画下了一幅在我读来是颇具典型意义的素描像。80年代蓝翎重回报社工作，邂逅此人，有一次开玩笑似的对他说："你老兄还在《文艺报》上批判过我呢？"那人却说："没有的事，我从来没有给《文艺报》写过文章。你记错了吧？"现在蓝翎将其当年的批判文章全文引在了他的书中，这篇批判稿，是该人利用职权，在蓝翎尚未被组织定为"右派"时，从应该只存于蓝翎档案中的一份"思想检查"里摘出一些句子，作为"靶子"，罗织而成、"抢滩"发表的，联系蓝翎前后的叙述文字，读来真不禁毛骨悚然；似此等行径，怎能用"当时大背景是那样嘛"来"一了百了"呢？现在蓝翎写下这些，也并不是"追究个人责任"，纵使想追究，也无从坐实那应付的责任；但蓝翎这样做，我很赞成，就是，这样的角色，你或许确算不得有什么应付的政治责任、法律责任，但在道义上，你却必须为你做过的这种事付出代价，这代价便是，在一个言论自由空间大大展拓了的新的历史时期里，你必须面对蓝翎的这本书里的这些有关你的文字！这再不是只有你可以胡批乱判蓝翎，而被批判者却绝无还嘴余地的那种世道了！当然，你现在也完全可以驳斥蓝翎，坚持你当年的立场；你也可以沉默；或者你真是经过反思，愿意表达另一种心得……无论如何，你必须受一受这个刺激，并付出相关代价！你认为蓝翎的这种做法，不是一种偶然的、孤立的现象，你还想因之推及于对现实状况的总评价，作总较量么？你因而勇气百倍么？缺乏胆量么？公开大闹么？关在屋子里生闷气么？……唉，反正，你得付出心灵上的代价，不管怎么个付法，你得付，并且已经在付！

是的，蓝翎这本书给予了我们这样的启示：凡藉着所谓的大背景，以私心谋取权位实利者，你既作出了伤天害理的事情，就不要幻想一旦大背景转换，可以行若无事地过你那安稳日子，你必须付出代价！或许从组织角度、法律角度无法把你怎么样，但你要以为被你害过的封过嘴无法申辩还嘴的善良人，就此算了，甚至于祭起诸如"不要纠缠个人恩怨"一类的法宝，企图继续封住人家的嘴巴，那就错了！你至少得付出人家也终于有了发言权，将事实真相与你的卑鄙行径公之于众的代价！

我喜欢《龙卷风》这本书，便在于蓝翎写得如此坦诚，他无官无职一身轻，面对事实无所虑，他已为过去的所作所为乃至于未作未为，付出了那么多该付的和不该付的代价，他现在腰杆挺得直直的，依然愿为自己所作所为付出代价，并且，最可贵的是，在道义问题上他不向虚伪、丑恶的人与事妥协，他毫不犹豫地用自己的这些文字，让那些人无可遁逃于"必须付出代价"的处境。我不把这仅看做是蓝翎个人的心灵补偿，我认为这构成着对社会道义中那属于知识分子自身责任部分的一种必要压力；倘若我们真是企盼维护一种合理的社会稳定，那么，方略之一，便是一定要进一步展拓民间的话语空间，让过去只许挨批不能还嘴、只能默受抹杀不能说出真相的被侮辱被损害者，在这一话语空间中发出他们的声音，从而造成一种道义张力，以使虚伪者与施虐者在公众中曝光，付出他们应付的代价——而对这些人的追光逼照与言行抑制，实在是社会的大福。

《龙卷风》能这样任由蓝翎以自由的心灵飘逸的笔触写出，能以顺利地出版发行（首版便发行万册），并给其中所涉及的人物提供了一个平等地答辩驳难的机会，更留给读者们非常开阔的思考与回应的空间（我的思考与回应当然只是一种而已，相信还会有许多与我有所不同乃至与我全然逆向的感受），这本身便意味着我们人文环境的非凡进步。这是一本没有写完的书。很显然，著者还要以这样的心态，这样的风格，继续回顾他的人生跋涉，他将继续付出心灵的代价，并继续逼使该付出代价者付出。作为读者，我企盼着他不仅不要在叙述文本上有所变更，而且，下面的篇章将愈加风骨凛然。

1995.10.30 绿叶居

天地不仁　何分东西

　　每次到香港，我总要到维多利亚人公园附近的碧丽宫看电影。这家影院以上映西方最新文艺片著称，回想起来，像《走出非洲》（梅丽尔·斯特里普主演）、《光荣与希望》（英国名片）、《巴黎浪族》（尊龙主演）等，都是在那里"捷眼先观"的。今年年初去台湾路过香港，看的是美国名导演利文·斯通的新作《天与地》。《天与地》是据一位由越南移民美国的女士所写的自传体作品改编的。此女出身于越南南方，影片的女主角，亦由一移民美国的越南女子扮演，是第一次上银幕，而出演不俗。影片先把世纪初的越南农村表现得世外桃源般幽秘恬静，给我印象最深的是两个空镜头，一个是满银幕半长的青绿稻苗在风中荡出有韵律的波纹，而一只农民的斗笠被风吹到这绿波之上，并不马上下落，而是水漂般呈弧形不断飘飞；另一个是在葱绿的秧苗后部，一所小小的佛寺，翘檐红墙，默默地宣示着东方世界的神秘与瑰丽。但这序幕很快被越来越凶恶丑陋残暴凄惨的情节发展撕得粉碎，先是法国殖民者侵略了这个地方，后来，越南南北方展开了酷烈的斗争，女主角先是被南方政权指定为"通匪"同村里若干女子入狱，她们被捆绑在柱子上，不仅饱受拷打，审问她们的人还往她们的衣怀里放了许多活蛇……好不容易用钱赎出了她们，不久，她却又被红色政权指为"叛徒"，其逻辑是：白色政权为何会将你放出？你为何当时还要求生，不当烈士？结果，一个红色干部借单独押送她的机会，竟在坟地里强暴了她！……后来美军进入越南南方，搞"特种战争"，支持南方白色政权，她和她一家乃至所有农村的居民的那种原有的生活，被世道破坏殆尽，她流落到城市。开头在一个有钱人家里当女佣，被男主人诱作情妇，怀下孽种，又被女主人发觉驱逐。这以后她为生活所迫，不得不走向了出卖肉体的沦丧之路，而在一个偶然的机缘中，她结识了一位美国军官，这位军官居然不是要用她泄欲，而是真的爱上了她，乃至爱她的私生子。后来南方政权崩溃，北军开进西贡，她得以挤过万头攒动的人海，逼近到美国大使馆的门前……最后，她极惊险地被其爱人拉拽到了已启动的直升飞机上得以"脱离苦海"，来到美国。

影片的前半部，充满了血泪控诉，既否定了法国人也谴责了美国人对东方世界的军事政治介入，以一种悲天悯人的情怀，诉说着桃花源的劫难。对女主角一家在争斗中辗转求生的表现，大有"天地不仁，以万物为刍狗"的浩叹，接连出现了许多煽情的场景，我邻座的香港小姐，便不由得频频用手帕拭泪。

影片后半部，先是用夸张与讥讽的手法，展示了美国社会物质生活之富裕与获取之容易，与前面越南战乱中的饥馑与贫困形成强烈对比，然后就表现东西文明不同所造成的心理冲突。女主角无法忍受丈夫一家在"并无恶意"的情况下，所表现出的对她这来自东方穷国"难民"的深层心理歧视，越来越不能承受在"特种战争"中精神变态的丈夫的怪异脾气，于是决心与丈夫离婚，开创一种新的生活，而她的丈夫却在变态的错乱中，赤身裸体自杀于汽车里……

与利文·斯通其他影片一样，这部《天与地》也是走的既要"文艺性"，也要票房的路子，拍得非常讲究，也很"好看"。依我看来，这是一部典型的西方电影，体现出西方人对我们东方的"非恶意误解"。也就是说，他们确实同情我们东方人在本世纪里所经受的种种劫难，并对西方政治家的侵略性决策给东方民众与西方士兵所带来的痛苦，充满了谴责与反思，可是，他们所肯定所讴歌所向往所定向的东方，却是如同我在前面所介绍的那两个空镜头里的东方，其特点是古朴、原始、神秘、恬静，乃至于蛮荒、离奇、怪诞、畸异。他们希望我们永如一幅古画，烟雨蓑笠，牧童短笛，塔寺茅舍，村姑浣纱……

我想利文·斯通这《天与地》的片名，大概是"在天地之间"的意思，也就是用女主人公悲惨而离奇的遭际，来喻示人生之艰辛、世道之诡谲。但我这个东方知识分子看了，却总觉得这部影片不管怎么说，实在还是在引发出一种"东方是地，西方是天"的感觉。

这部影片据以取材的那本书，是那位从越南归化美国的女士用英语写出，并在美国出版的，这样的"东方人用西方语言直接把东方苦难写给西方人看"的书，这几年颇行时于西方，也很被好莱坞看中，拍成了好几部票房很好的电影。而且，这样的书，这样的电影，多半是东方本国人并无缘得看。像我，如果不是有机会路过香港，又哪有机会看到这《天与地》，以及《喜福会》、《蝴蝶君》呢？

东方作家的作品，倘能被西方人翻译介绍，多半会被视为一种荣耀，不仅是他个人的，还很有点为国争光的味道。但这翻译是个很难讨好的坎儿，于是有的东方人就干脆到西方去，先摸透西方人的心理和眼光，然后直接用西方文字写书，并在西方出书，让西方人喜欢。他们的书，因而也就在东方，自己的国家中，先以消息取得殊荣，下一步，便是再由别人翻译成自己民族的文字，让国人"后睹为快"。东方艺术家如能在西方争得一席地位，当然更属不易。比如所谓打入好莱坞，华裔演员在那边演了几个角色，获得好评，不仅他们自己有高昂的成就感，国人大受鼓舞，有的报刊的报导，大有激动不已的劲头。《天与地》中有华裔男演员吴汉的出演，他原是"越南华人"，后到美国，曾在《战火屠城》一片中扮演一位柬埔寨记者，并因此获得过奥斯卡最佳配角奖。吴汉在《天与地》中扮演女主角的父亲，扮演其母亲的则是我们都很熟悉的陈冲。陈冲在该片中一出场已是一中年妇女，越演自然越老，最后的造型是一鸡皮鹤发的老妇。为了反映真实生活，她一出场牙齿便涂成黑色，因为越南妇女都爱嚼槟榔，以往并以嚼槟榔至黑的牙齿为美。最近在一份报纸上看到一则小消息，说是利文·斯通埋怨陈冲在东南亚准备拍摄此片时，不能到稻田里去尽心尽力地练习插秧，怕苦，所以她扮演的母亲未能达到水平云云。我读了此则消息，心里很不是滋味，因为就我观看影片的感受而言，母亲这一角实在并没多少戏，而陈冲的表演，是称职的，我特别佩服她为了艺术，把自己那样地"老化"乃至"丑化"，没想到导演还要责怪她"不到位"。替陈冲想想，也真是不容易，一位东方女性打入好莱坞，你水平再高，也只能演"东方戏"，人家西方人拍比如说《飘》的续集，无论如何是轮不到东方血统的演员来竞争那郝思嘉一角的，而好莱坞一年又能拍几部"东方戏"呢？岁月匆匆，青春几何？等到终于又有《天与地》这样的"东方好戏"，而陈冲已不能出演"清纯玉女"，只能屈饰一黑齿妇人，其中酸辛，当可体味，而导演还要挑剔，宁不痛乎！

西方是覆盖在东方大地上的"天"吗？当然不是，许多西方人也会说"不是"，可是在我们不少东方人心目中，评判许多事物的优劣，尤其是文化优劣的圭臬，却似乎只在西方，尤其在西方的种种时髦理论。这本来也不是多么值得惊讶的事，而悲剧性在于，当许多的东方青年知识分子努力地使自己西方化时，一些西方人却发出了不以为然的讪笑。他们在有限度地表示了对这种拥抱他从前的喜悦后，很快就正言悦色地宣布，他们所喜欢的东方是最好不受污染的原汁原味的东方，比如有高腰大痰盂的茶馆，有石碾轳辘的农家，等等。面对那样的一个东方，他们既可同情，又可欣赏，还可以自省，可以咏叹。所以当一些中国青年画家把他们自以为很新锐的"政治波普"画（如把"文革"宣传画与可口可乐广告拼贴），很俏皮的"玩世现实主义"画（如画一群变形的大头娃娃式的青年在咖啡馆打牌），拿到西方人面前展览时，他们只得到了极有限的注意，而在西方人眼中"最劲"的中国画，还是《花营锦阵》那样的东西，或中国农村土制的灶爷年画。他们确实很"内行"。《天与地》这部电影就有这个意味。已归化美国的原作者，一个当代东方的苦难故事，娓娓地告诉他们曾有过一个多么如梦如幻的东方，犹如斗笠飘飞在万顷绿秧之上，倘那里仍能如是，该有多好啊！利文·斯通把这一意蕴，表现得可谓淋漓尽致。

《天与地》最后，演到女主角终于在越南也实行开放政策后，重返故里，她当然已是被热情接待的外宾。簇拥着她的人们，无不对她羡慕或惊奇，她也去看望了当年引诱她而她也确曾爱过的那个男人。当年的富豪，如今已沦为小商贩，当他们二人拥抱时，两位演员的表演很是到位，在世事沧桑的情调中，她体现出已然成为西方社会一员的"悯东胸怀"。而那位东方男子，则满脸"到头来还得重头做起"的沉重表情。我想影片的编、导、演都不会是那样一个喻意，可在我眼中，却总觉得这镜头，是在表现"西天"与"东地"的亲和，好一个"天"与"地"啊！

不管怎么说，几乎所有的东方国家，都在致力于现代化。"现代化不等于西方化"，这话说起来简便，操作起来，可不那么容易把所谓"人类共同的文明成果"与"西方文明"严格地区分开来，一些西方人希望我们守住东方文明的"贞洁"，其急切几与我们东方人中害怕现代化引入西方污染一派等同。我们究竟应该怎么办？尤其在文化策略与知识分子的角色选择上，我们东方人究竟应如何顺应这时代之嬗变和世界潮流之汹涌？

忽然又想到了云南出版的"严雅纯"的文学杂志《大家》，其编者以一种高度的热情，希图以一辑辑的华文作品，冲击"世界文坛"，甚而以此为敲响诺贝尔文学奖的砖石。我以为这即使不算豪迈的舞步，至少体现出一种悲壮的情怀。我去秋（1993年9月）曾陪同瑞典文学院院士马悦然及其夫人游览云南，一路的话题中，自然也包含着关于"为什么诺贝尔文学奖至今不授予中国作家"的问题。这问题其实我们在1992年冬我应瑞典文学院邀请访问时已多次讨论过，马氏始终不放弃他的一个论点：中国作家的作品可能确实不错，但却缺乏好的翻译。不知别人对此说法反应如何，我听来多少有些不平。以西方文字写作的作家，在诺贝尔文学奖面前，就并不存在着一个"翻译问题"（评定该奖的瑞典文学院现8名院士中，只有马氏一人懂中文，但所有院士均可阅读英、法、德文原著），像索英卡、沃尔科特这些第三世界的作家，他们的著作都大都是直接用英文并直接在西方出版的，他们在诺贝尔文学奖面前也没有"翻译问题"。这样想下去，纵使《大家》上的某些大作确实够得上"世界量级"，那也仅是我们华文作家、华文编辑、华文评论家和华文读者的一种"自我定位"。能否把《大家》办成一份中、英文对照的杂志呢？但这也还是笨办法。像上面说的《天与地》，那越南女作家她就干脆直接用英文写作，直接进入以西方文本的妍媸为圭臬的那个文坛。其实我们华人，中国大陆出去的作家，也开始了这一抛弃华文母语，直接用西方语言写作的"一步到位"的策略，并频频告捷，先是在法国的亚丁差一点以他的那本法语写成的《高粱红了》获得法国的"龚古尔文学奖"，后来又有在英国的张戎以她的那本直接用英文写成的《鸿》夺取了英国的一个文学大奖，并畅销于西方世界。这样的例子，正逐步增多。我们遥望西天，一方面为这些华人血统的作家的成功高兴，一方面也不禁喃喃发问：他们还能算是"中国作家"吗？他们的成功，还能算是"中国文学走向了世界"吗？急切地要"走向世界"，如果都弄得抛弃华文这一母语，绕过"翻译关"，而直接用西方文字去"一步到位"，那等于什么了呢？

好在也还没有都这样地去弄，《大家》就还在执著地提倡华文的"严雅纯"之作，并对世界文坛的肯定（其实主要还是期盼于西方，期盼于由马悦然参与评定的诺贝尔文学奖的光顾）抱有乐观的展望，《大家》的努力，令我感动。

但思绪仍不能不大起大伏，并不是受赛义德提出的"东方主义"和"后殖民主义"的影响，而是自发地产生出这样的想法，天地何不仁，分为东与西！尤其是，西仿佛为天，东竟似乎为地，这局面何时方能扭转？

1994.4.23 写

1994.6.29 增改

初春的草芽

二十多年前，我有个邻居，是位——现在时兴叫女士，那时候得说是——女同志，她二十七八岁了——如今该说是堕入爱河、营建爱巢，那时候得说是——找对象、成家的年龄，可是她却怎么也不敢爱。当时我已结婚成家，我爱人跟她还合得来，有时两个人聚一处说说知心话。据我爱人告诉我，这位女邻居心中充满了太多的戒惧，在该女邻居心目中，本身有这样那样问题的男人固然绝不能爱，本人无问题但出身"黑五类"的也不能爱；她那单位里有位戴眼镜的男同志，对她挺有表示，她也不是绝不动心，但该男士出身于"资产阶级知识分子"家庭，本人又是"旧学校培养的学生"，鼻梁上的那副眼镜更是个应当"接受再教育"的"罪符"，所以，她也还是不能爱……那时，她一心想嫁个党员、现役军官、英雄模范，但她所置身的世界中还是凡人居多，结果她挨到三十岁还没体验到爱，也没能成家……

这位老邻居个人感情生活的空阙蹉跎，显然是受到当时那种"以阶级斗争为纲"的大人文环境的影响制约。那个历史时期中，许许多多的凡人尽管和她一样也不免多多少少受到那个"纲"的影响制约，但总还能以心底的本欲良知来为个体生命的爱欲寻觅出一条小径，她是太死心眼儿了，灭了自己合理的人欲，而到80年代以后，又才知道自己当年那这也不敢爱、那也不能爱的自我约束，所殉的也并非是什么"天理"。

80年代以来的中国大陆社会，确定了以经济建设为中心的社会生活新走向，牵一发动全身，特别是90年代进一步加速了从计划经济向市场经济转轨，社会生活几乎是全方位的变化——以良性的变化为主——使得人们的正常爱心得以畅快释放，不仅是个人情爱不再充满不必要的戒惧，而且，人际之间，乃至由对外开放政策所引发出的与全人类亲和的普世之爱的情怀，也得以淋漓地抒发。

《让世界充满爱》便是在这样的转型期里，应运在中国大陆传唱开来的一首流行歌曲。每当听到这首歌，我便不禁感慨系之。有时我便不由得忆念起当年的那位女邻居。在这越来越充溢着合理爱意的世界上，作为人类的一员，她难道还是那么样地"畏爱"吗？

但也许是各个精神生产领域的思维方式不尽相同，在这已是 90 年代中期的中国，固然音乐界的朋友已以《让世界充满爱》作为了无须争论的"永恒主题"，文学界的某些人士，却认为这类命题不仅"肤浅"，而且他们中有的质问道："这世界上还有那么多的丑恶与污浊，那么多的虚伪与腐败，怎么能只是鼓吹爱而不提恨？即使爱作为人的感情之一种，也属必要，但能爱杀人犯，爱毒品艾滋病，爱苍蝇蚊子，爱垃圾秽物……么？"什么"充满爱"，都让爱充满了，恨往哪里摆？而没有恨，怎么跟一切丑恶的东西进行斗争？！他们反对"抽象的爱"、"无原则的爱"、"滥爱"与"乱爱"，有的人更认为，恨比爱更坚实、更高尚，也更是如今现实所急需的一种缺门感情！

我置身于文学界中，对文学界一些人士的上述见解，理解而不赞同。理解，是因为我深知，有的艺术门类，如音乐、基本是倾向于抽象思维，其创造过程可以大而泛之、笼而统之、含而混之，意而会之、单而纯之，文学、诗歌与音乐接近，除此外，却往往需要具体、精确、复杂、深入……因此，文学家，尤其是以揭示人性底蕴的小说家，在涉及爱时，必不能单说一面，不仅必得伴随以恨，还往往要在爱恨之间剖析出无数复杂的过渡性、交织性及无可理喻的感情状态。我不赞同一些文学界人士的"抑爱扬恨"，则是因为，我自己的美学信念，更接近于乐思中的爱韵，我以为，不是能恨才能爱，恰恰相反，则能爱才能恨。并且，我很不赞同未爱之前，先设置无数的"恨篱"。比如，当我爱抚一个小男孩或小女孩时，我没必要先在心中戒惕："他长大后会不会成为希特勒？"或"几十年后她会不会是另一个江青？"当我在公共汽车上给一位老大爷或老大妈让座时，我也没必要先在心里嘀咕："他会不会是个贪污犯？"或"她在家是不是虐待媳妇？"……因之，当我哼唱《让世界充满爱》时，我心中只洋溢着普世关爱的美好情怀，我把自己自觉地融汇于整个人类对世界和平、人际亲和与大同未来的企盼之中，此时我的爱意，当然不施之于丑恶与腐败、反动与堕落。

说来也巧，今年早春，我和爱人去电影院看那部得过戛纳电影节金棕榈奖的《钢琴课》，我们是在所谓"梦幻小厅"，坐在颇昂贵的"情侣座"上看的，本来，我们多少有些不好意思，因为我们毕竟都已年过半百了……但当影片在优美的、充满诗情爱意的乐声中结束，灯亮以后，我才发现我们后面"情侣座"上有一对似乎比我们更老的"情侣"，我正想告诉爱人，没想到爱人先招呼起那位胖胖的女士来。呀，原来，该女士便是我在文章开头提及的那一位！该女士大大方方地把她身边的那位虽已谢顶却还健硕的男士介绍给我们："我爱人！"她把那"爱"字，说得很响亮。

出了电影院，爱人看他们已走远，才跟我说："你没认出来吗？她那爱人，就是当年'文革'里头，街道上总拉到台上去斗得死去活来的老马呀，当时说他是历史反革命，'走资派'的大红人……其实，我当时就知道，那是个挺本分的中学老师，教数学的，教得可好了……"

我和爱人都为那女士和老马走出了历史的阴影，而终于享受到人世间合理而平凡的爱，由衷地感到高兴。我和爱人走着走着，走到了街心花园里，落叶树虽然还都仍是一派枯枝，树下的篱中却已蹿出了初春的草芽，那如针的点点翠绿，令我们的爱心荡起一环比一环更柔美也更神圣的涟漪……

这世界实在需要更多的爱，愿人类心中的爱，如初春的草芽般，能蓬勃生长，永葆鲜翠！

"国际大开本"

　　这几年，不少杂志改了开本，大多是从原来的十六开本，改为了"国际大开本"。为什么叫"国际大开本"？我没有这方面的知识，请教过某些改了这种开本的杂志的编辑，竟也解释不清，难道世界上有一种关于杂志开本的技术标准，唯有达到我们现在所看到的这种大开本的样子，才有如废了"市斤"的计量陈规，采用了"千克"的计量方式那样，标志着"与国际接轨"，体现出现代化的进程么？

　　我虽孤陋寡闻，到底也算见到过一些外面的杂志，比如美国有名的《时代》、《世界新闻报导》、《纽约客》、《读者文摘》；德国的《明镜》周刊；日本的《文艺春秋》……以及我们中国早就受西方文化影响的地方，比如说香港的不少文化类杂志包括《香港文学》，台湾的《联合文学》、《幼狮文艺》、《张老师月刊》，等等，似乎都并非是我们现在竞相追求的这种"国际大开本"，或稍窄，或稍长，或简直就是我们视为"非国际"，甚至视为"落伍"的十六开、三十二开，比如发行量雄居世界之首的美国《读者文摘》，就是最一般的三十二开，它用多种文字印行，应当说是很"国际"的，却并不"大开本"，毋乃保守乎？

　　我能体味到我们这边若干改为"国际大开本"的杂志社的苦心，尤其是一些不拿国家拨款、自筹资金、自办发行、自负盈亏的杂志，直面市场经济，一边是同行的无情竞争，另一边是读者的挑剔选择，因此，杂志如欲生存，又尤其是想生存得好些，办杂志的人从中亦能问心无愧地得到较高的收入与福利，那么，就不仅要在内容上不断地充实、出新、提升，在包装上，在开本上，也必得令读者眼睛一亮，最好是具备一种"原始冲击力"，摆到邮亭或报摊上，让人从众多的杂志里，一眼就能感到它很"跳"，有的杂志，比如说《女友》，大约是较早改为"国际大开本"的，这一包装策略，对它的增加发行量，显然是起了不小的作用。再比如《大家》，虽出现较晚，创刊时"国际大开本"已不稀奇，可是它一反许多"国际大开本"封面封底的浓妆艳抹，使用了只有黑、白、灰三色的"素面朝天"策略，结果大得"雅皮一族"的青睐，口碑甚佳。

杂志采取什么开本，这当然并非一个原则问题，关键还是内容究竟好不好，格调健康与否，对现在仍在发展的改为"国际大开本"的势头，我并不想"螳臂挡车"，甚至觉得颇为有趣，而且，这也从一个侧面，反照出我们文化出版事业中，一种急欲与外部世界文化交流融通的群体心态，这种心态显然具有正面效应，是不要轻易地泼冷水的。

但我也想说，杂志的开本，还是多种多样的好，有的杂志，尤其是一些本来其"眉眼"读者已经很熟悉的文化类、文学类杂志，实在不必追风赶浪地，甚至是一窝蜂地，都去向"国际大开本"看齐，所谓"国际大开本"，又有人说成是"国际流行大开本"，依我的有限见闻，"流行"两个字颇为传神——国外的众多消遣消闲性杂志，如时装杂志、美容杂志、家居生活杂志、宠物杂志、健美杂志、音响杂志、园艺杂志、购物指南杂志……确实都是我们现在所追求的那种"国际大开本"，这样的杂志，大都是供翻阅者舒舒服服地坐在沙发上，靠着腰枕，有一搭没一搭地消磨的，如果是较为严肃的文化杂志、文学杂志，为其读者着想，倒还是开本较小、篇幅较薄，甚至比较地"袖珍"为宜。

收到了1995年的《读书》，还是"老样子"——三十二开，但它今年的订数已增至八万多，在海外又开始发行繁体字版，并且，据我所知，这本刊物是海外许多大图书馆、著名大学、汉学家，以及能阅读华文的众多文化人必备的刊物，别看它并非"流行大开本"，谁敢说它不"国际"？

1995.3.20

长虹的湮灭

与朋友聊天，偶然提起了高长虹，那个曾经骂过鲁迅，并且也被鲁迅回骂过的人，当时鲁迅已是德高望重的文坛长者，高长虹只是个渴望成功的文学青年，高的骂鲁，当然有若干具体的缘由，但其焦虑于不能顺畅地"走向出版界"，希图以"反权威"的"黑马"姿态，速成声名，恐怕是其重要的心理动机，因鲁迅没有宽谅高长虹，在几篇文章里相当刻薄地讥刺了这匹"黑驹"，因而确也起到了助高长虹一时暴得众目所睽的效应，现在你翻《鲁迅全集》，不仅高长虹名字印在正文中，后面的注解里一定还要说明其人其事，从这一点说，高长虹也算是在一定程度上达到了"名载史册"的人生愿望了吧！

但历史是严峻乃至严酷的，作为一个作家，或者说一个文人，高长虹除了与鲁迅"对骂"过，究竟他还有什么业绩值得后人记忆研究，似乎竟趋于了零。我和朋友一起想了半天，也只是记得他说过鲁迅是戴着"纸糊的假冠"，就算他当时作为一个声望与地位都远低于鲁迅的文学青年，能有"骂权威"的"勇气"，并且这"话语"也颇为讥俏，给他一个"黑马奖"吧，终究也还是只能构成一个虹影般的瞬间"快感"，与坚实的文学成绩，是全然不搭界的。我与朋友在聊及此事时，本也打算翻查一下《鲁迅文集》，那文集就在我们身边的书架上，举手之劳，便可将高长虹当时的"骂语"检验得更精确，但我们竟都懒得翻查，朋友说："弄清高长虹当年骂的是'纸糊的桂冠'，还是'纸糊的假冠'，实在没有任何意义……不会有任何一个学生，在考试中遇到这样一个'填充题'，哪怕这道题只值零点五分！"他这话一出，我心中不知为何，又辣又酸。

又忽然想到，前些时在某报的文摘版上，看到过一段关于高长虹的文字，大概是了解他身世较深的人士所写，大意好像是说，高后来投奔了延安，是一个很愿为革命事业贡献心血的人，解放战争时期，他在东北解放区，是为革命做过一些有意义的工作的，但因他得罪过鲁迅，而鲁迅逝世后，更为人们所崇敬，所以他处境一直颇为狼狈，后来他在孤寂与冷遇中湮灭无闻，走完了他那不算太长的人生道路。我本是有剪报习惯的，但关于高长虹的这段文字，却并未剪存，朋友说他也看到过，也未剪存，因为"这种文字只不过是报刊上的'次要填充物'，谁会把高长虹当做正经的学术研究对象呢？"他这话，令我心中更有缕缕复杂的况味旋升。

随着历史的发展，我们都变得比以往成熟了。对鲁迅，我们的认知当然还可一再地提升准确度，但在今天，我想绝大多数人都会有这样的共识：不能用"凡鲁迅批判、斥责、讥讽过的人物皆为反面人物"来知人论事。有的人物，鲁迅对其的批判鞭笞具有"公诉"性质，有的，则含有个人义气、误会成分，有个别的，甚至于是错怪了。鲁迅非神，即使我们尊为圣贤，也有其凡人一面，所以，即使他的文章里有骂错、骂重了人的地方，仍无掩其总体的灿烂光辉。被鲁迅骂过损过的人呢？其实，仔细想来，就算是总体上骂对了损对了，或在某事上批对了嘘对了，也未必就能一笔抹煞了其人的价值，因为一个人只要在某些方面创造出了较为坚实的价值，那么，他失之东隅，却可收之桑榆；更何况是被错怪了或被刻薄得太过头的人，他们的业绩，绝不会因为与鲁迅先生有过某些"过节儿"，便在历史中湮灭无痕。翻看过《鲁迅文集》，我们可以开列出一个长长的名单，从林琴南、章士钊、顾颉刚、李四光、丁西林、施蛰存、林语堂、梁实秋……一直到成仿吾、"四条汉子"，等等，都因为在与鲁迅的"过节儿"之外，有其社会性、学术性的成就，而在历史评价上获得应有的坚实站位。然而高长虹一类人，则除了"敢骂鲁迅"以外，再难举列出创造性的业绩，虽有一时的"雨后长虹"效应，究竟不能持久，乃至于除附着在《鲁迅文集》的注解中"与史长存"外，个人的主体价值，则基本上湮灭无存。

也许高长虹后来意识到了，靠"骂过鲁迅"，或"敢与鲁迅笔战"，是不能获得持久的社会关注与轰动效应的，也想靠自我的创作形成一定的价值存在，但他却因种种内因与外因，而未能如愿。这是一个悲剧。这样的悲剧今天还会重演么？不敢断言，却觉得高长虹的教训，实在值得当代某些热衷于"黑马效应"、自诩为"黑驹"者深思。

人生在世，难免与他人冲撞，从义愤地评击魑魅魍魉者流，到讥刺嘲讽宵小无聊者辈，到一时说气话，偶然生误会，乃至涉笔生趣成龃龉，善意幽默遭恶解，都可能发生。然而构成一个人，尤其是文化人生存价值的，主要还不是人际上的行为，既不主要在于"敢骂权威"，也不主要系于"敢于回讽"，而是他在其专业领域内的创造性建树，如果一个诗人总在那里无事生非地算计人，却十几年写不出像样的诗来；如果一个小说家总是在那里打别人的"小报告"，却几年写不出来新小说；如果一个想成为批评家的人，总在那里东抨一下老前辈，西骂一顿"当红作家"，以当"黑马"自娱，却写不出几篇有学术价值的著述……那么，就可能重蹈高长虹的覆辙，甚至于连他都不如，经岁月的涤荡，竟灰飞烟灭，于社会的文化积累无功，于所冲突者的基本价值无损，于己则是一个酸涩的空无。

和朋友闲聊一通，形成一个共识：无论是以攀附名人，还是以"骂倒权威"的方式去当一阵子"长虹"，都不足取；还是应拿出具有创造性的成果来，方可以"雨后天晴"时，获得关山葱郁般坚实的人生成就感。

1995.4.24

针尖与针鼻

90年代文学多元格局的形成，不仅表现在繁花迷眼的创作现象上，也开始有了不同"美学元"之间的"摩擦"。比如，有一派"美学元"，大体而言，是力主高扬理想，并对不符合他们理想的商业化浪潮汹涌的现实即俗世，在极度愤懑中，表现出一种绝不宽容的批判与抑制态势；这一派的主张者目前似乎还处于言论多于创作实绩的状态，并且他们首先攻讦的，往往还并不是具体的俗世，而是主张对俗世取认知与亲和态度的另一些美学见解。因此虽然这呐喊在文学界外尚难引出影响，在文学圈内那"分贝值"还是颇令人"侧耳"的。与此同时，却又有另一派"美学元"悄然生成，他们大体是些60年代才出生，90年代才登上文坛，并且直到近来才引人注目的"新生代"作家，他们宣言很少而创作实绩颇丰，大体而言，他们对置身其中的这个商潮汹涌的现实即俗世，也有强烈的愤懑感，但是他们的愤懑不是出于"现实怎么可以是这样的？"而是出于"在这个能以实现'人欲'的现实中，我这个人怎么还没能得到我想有的？"前者对现实回应以针尖般的砭斥，后者却对现实回应以拖着欲望长线的针鼻般的亲和。我以为这两种互相抵牾的美学追求，也许恰是进一步推进文学多元格局发展的两个"翼尖"，在其扯动下，我们的文学发展也许能更快地达于"多元整合"的良性境界。

文学家的美学见解，当然受其对社会变化的总见解的支配。社会在剧烈的变动中，也就是所谓的转型期中，文学家他个人有可能极度欢迎这种变革，或基本上支持这种变化，于是他的美学观，便很能是主张乐观地描绘他的感受，形成积极的现实主义美学追求，或明亮的浪漫主义调式；当然也很可能他反感于这种变化，将现实指认为污糟堕落，或认为其变化的方向不对，极希望现实能是另一种变法，于是他的美学观，便可能是主张严厉地批判现实，当然那"反现实"的美学策略可能是多种多样的，其中当然包括高扬"反现实"的理想主义旗帜那样的美学探索。实际上文学家的美学抉择还有更多的可能性。有的文学家可能坚持认为对任何一种社会变革或社会现实都应该先验地加以抨击和否定，视其为"天职"；也有的文学家可能对社会毫无兴趣，无论那社会是变还是不变，是朝什么方向变，他都不去过问，他只是埋头从事他个人的相当私密化的美学追求。我们在这里不可能对诸多文学家的诸多种美学追求进行讨论，但仅仅是这般粗略的描述，也令我们憬悟到，除非动用文学以外的强硬手段，想要一统作家们的美学追求，那几乎是没有可能的。

这里还是集中谈谈"新理想主义"的"针尖"一翼，和我认为无妨称之为"欲望现实主义"的"针鼻"一翼吧。就我们整个的文学格局而言，我以为这是最不能或缺的两个"美学元"。确实，在这个商潮滚滚，特别是跨国资本的全球性商业运作浸润着我们民族文化躯体的情况下，保持高度的文化警惕性，在精神上高扬起"一种文化理想，不仅可贵，而且可敬，以这样的"美学针尖"，刺向民族的心灵，砭麻木，启升华，营造出具有尖锐批判性的文学佳作，当然应该鼓掌欢迎。但是如果所提出的理想大体上还是近似"文革"中"红卫兵"那样的极端主义的反物质丰富、反精神多样、反外部世界的禁欲主义、孤立主义的强制性封闭性的理想，则我是不但敬谢不敏，而且要加以反对的。至于"欲望现实主义"，这样的作品，比如在《上海文学》作为"新市民（新都市）小说"发表的邱华栋的小说，使我感兴趣的不是主人公的那些商潮中膨胀的"人欲"，而是其欲望追逐中所显现出的人性挣扎，因为我是主张直面俗世的，我积个人几十年的生命体验，达成了欲实现人人幸福的大同理想，不可免要经过市场经济这样的包含许多弊端的"痛苦历程"的认知，因此我一方面不以描绘"俗世人欲"为怪，另一方面也并不赞成讴歌一切俗世景象和全部人欲，我主张批判俗世的污糟同时宽容俗世的"暂且低级"，我希望群体首先尊重个人的欲望，再制定出"游戏规则,"以防止个人欲望对他人及群体的侵犯损害,也就是说,我认为曳着欲望长线的针鼻,也是我们民族"文化针"上的一个合理组成部分。

我祈盼,文学的"针尖"那尖锐的批判性穿透力,与文学的。针鼻"那充满获得欲望的缝合力,能在互相"看不惯"的不断运动中,使我们的文学华袍焕发出熠熠光彩!

自我净化与清洁世界

　　人生在世，把精神需求置于物质需求之上，是一种崇高的生活方式。真正身体力行达于此种境界的个人，是应获得尊敬的。在时下市场经济蓬勃发展的过程中，各种物质享受的蛊惑扑面而来，作为个人，在温饱无虞的前提下，淡泊物欲，追求内心的充实与快乐，注重净化自己的心灵，过一种甘为他人和群众作奉献，而自己只求无愧无悔的恬淡生活，尤堪称道。

　　不过，个人可以"只求耕耘，不问收获"，一个社会群体，却不能不把发展社会生产力放在首要的地位。对于社会群体共存而言，物质的丰富，非常要紧。当然还有个分配公平合理的问题。但即使分配上大体合理，然而整个社会物资极大的匮乏，那样的社会，也并不是一个理想的社会。社会整体物资缺乏，会导致社会大多数人的温饱无靠。现在我们中国的社会生产力正以令全世界吃惊的增长率在猛进，别的且不说，光是看看城乡商店货架上堆满琳琅满目的货品，就应当高兴。这都是因为搞了改革开放。十二亿人口的泱泱大国，十多年的时间，能把物质的丰富提升得这么快这么多，不容易。

　　但是就群体状况而言，物质丰富的增长度，与人们整体精神的提升度，不那么协调。这也不是中国大陆独有的现象。远处且不说，像"二战"后的日本，还有东南亚，以及我国台湾地区，在经济起飞之后，都出现过这个问题，有的地方这个问题不是越来越趋同步，而是落差反倒随时间的推移越加触目惊心。在这种情况下，政府，社会团体，宗教界，社会学家以及其他人文科学界人士，包括文学艺术家，各自作出反应，提出号召，采取措施，发起讨论，揄扬主张……都是顺理成章的事。

中国目前所呈现的状态，坦率地说，很令人焦虑。不仅经济发展中"游戏规则"尚未健全，社会精神面貌中的不洁现象也有目共睹。

怎么办？

我以为，首先要有一个正确的认识。社会上的拜金主义、物欲膨胀等等精神负面现象，确是伴随着改革开放的经济腾飞而出现的。但以为停止、改变这种发展走向便可达到群体精神面貌的"良性回归"，实在只是一种幻想。"水至清则无鱼"，一个经济发展迅速的社会，尤其是不能不以市场经济为通向理想境界的桥梁的社会，又尤其是从计划经济向市场经济转型不久的社会，在群体的"经济游戏"中，利益考虑、利润考虑、利害考虑，这些"不洁"的因素，是无可避免要出现的。当然，一些有可能避免的现象，由于"游戏规则"的疏漏，也出现了。有的个人，在社会中成为"脏人"；更有许多普通的人，也会受到不同程度的污染。这种"不洁"，当然应当予以洗涤。但这是一个复杂的社会工程，更关系到对人性的探究。有的要通过完善法律法规加以惩限，有的要进行耐心的引导教育感化，有的则应细致地加以甄别，因为，也有可能某些我们现在认为是"不洁"的事物，会被社会生活的发展证明其有存在的合理性，不可轻率地一律加以"涤除"——比如妇女佩戴项链，在"文革"中曾构成王光美的"滔天罪行"，并由此扫荡了一切类似的"污泥浊水"，从而使亿万中国妇女起码在十多年里失去了这一本来无可厚非的人生乐趣。那固然是江青出于政治野心闹出来的，许多"红卫兵"的狂热"横扫"欲，却也是造成群体误识的重要因素。现在有没有仍以"红卫兵"眼光，看错了的"不洁"之物呢？

在日本，出了个奥姆真理教，教主麻原彰晃，认定日本社会已然堕落，说什么所有的日本人都罪孽深重，为了达到"清洁世界"的目的，不仅要放毒气，还打算动用导弹，轰毁整个"肮脏的日本"。

同样，本世纪最大的浩劫——法西斯势力的一度猖獗，也是在"清洁人类"的旗帜下，干出屠杀犹太民族和其他"劣等民族"的弥天大罪来的。

　　中国还没有出现麻原式的"教祖教宗"，还没有出现打着"崇高""真理"的旗帜，采取大规模的暴力行为，来滥杀无辜的"俗人"，以惩罚他们的"堕落"，结束"俗世"的"不洁"，达于"至高无上的理想"的怪剧。这是中国社会的幸事。但"他山之祸，可以预警"，我们也应防止面对社会确有的"不洁"现象，由急躁而焦躁而暴躁，所酝酿出的狂热破坏力发作。这种追求至高至洁至纯至净的极端思维，曾主宰过中国"文革"中的"红卫兵"。"红卫兵"的"原旨"也许确是崇高的，但此种极端化的思维方式实在是与麻原的"真理"相通。这种思维方式一旦被错误的判断乃至如"四人帮"那样的阴谋家引逗出来，爆发出"新红卫兵"运动，或出现麻原式的领袖，以"清洁"经济发展中的"社会堕落"现象为"义旗"，造成社会的大动荡、大混乱，将改革开放的宁馨儿与脏水一起泼掉，其可能性是有的。这是杞人忧天吗？忧忧也好。

　　物质生产与精神提升间的落差，我也看在眼里，急在心里。我们大家都来想办法解决这个问题。但不可能"毕其功于一役"，更不可能用"横扫"的方式达到"清洁"。我企盼意识到这个问题的严重性的有识之士，首先来净化自己心灵，身体力行地做到把精神追求放在必要的物质追求的前面，以为他人、群体、俗世、人类作奉献为乐，以充实内心，使自我灵魂丰盈而美丽为乐，以求真、向善、创美为乐，以爱心、理解、宽容为乐……先将自己如此"磁化"，再以自己的"磁力"吸引、亲和他人，大家彼此以心灵的善美相衔，来推进社会的文明发展。

1995.6.2 绿叶居

暴力耻感

我曾著文提出，在扫"黄"的同时，也应扫"暴"。可是呼应者不多。

"黄"，即色情勾当，一旦曝光，是丢人现眼的，不但扫"黄"者和目睹扫"黄"场面的人感到那些搞色情勾当的人可耻，就是被抓获曝光的搞色情勾当的人，他们也往往本能地表现出一种耻感。在电视上的纪实性镜头中，被扫"黄"者扫到的嫖客与暗娼，就大都蜷缩身体、手捂颜面，耻感浓酽。色情耻感是一种必要的社会心理制约力。在对青少年进行正面的科学的性知识传授的同时，让他们形成色情耻感，也是很重要的道德熏陶。

但是我们的社会生活中似乎缺乏足够的暴力耻感。在我们的大众传媒中，比如电视电影镜头里，对可能导致色情联想的细节，控制得还是比较严格的，可是对暴力展示，无论是恶对善的非正义暴力，还是善对恶的正义暴力，就往往都缺乏节制。尤其是在表现正义的暴力时，因为觉得理直气壮，所以更往往达到淋漓尽致的地步。其实，即使是正义的暴力，固然是不得已而非实行之的，在传媒报导时，也应尽可能避免过多过重过浓的正面展示。在文学艺术的表现中，同色情描写不可取一样，暴力展现也是应予反对的。电视剧《三国演义》总体而言不错，但缺点亦不少，其中的暴力镜头，比如刀砍人头，非要用特技将头飞掉后一腔子红血喷出来一再地映在荧屏上。接着往往还要用特写展现被砍落的人头，如何狰狞可怖地歪栽在地面上，这些暴力刺激，实在有害于青少年身心。然而从编导美工一直到审片者以及不少的成年观众，对此似乎都安之若素，既无生理上的呕感，亦无心理上的耻感。这实在是值得提出讨论的事。

深究起来，在我们的文化传统中，暴力展示便存在着"大无所谓"的错误心理。《水浒》总体而言诚然是一部伟著，但该书只承认其中一百单八个英雄的生存价值。它否定一百单八个英雄的仇人的价值，写英雄杀仇敌，已充满了连篇累牍的暴力细节，这且不论。问题是，书中在很多地方，写英雄杀仇人时，往往还要连带杀若干中间人物，乃至于无辜的小人物。英雄杀红了眼，不仅见了仇人杀，见了不相干的人也格杀勿论。作者写英雄的暴力行为，很少克制，写及滥杀到无辜，行文中毫无批评惋惜之意。比如武松到鸳鸯楼杀仇人一回，他杀张都监、张团练及蒋门神，可以理解；为了进入楼中，在院子角门边干掉求饶的后槽，也还说得通；可是他路过厨房，明明听见两个丫鬟在埋怨主人，绝非他的障碍，却也推门抢入，先把一个女使揪住头发一刀杀了，另一个惊呆了，他也手起一刀，杀到这个份儿上，按说仇已报，而且刀口也已砍缺，该收场了吧，他却又翻身再入楼内，把唱曲儿的玉兰及两个小学唱的，一一搠死；后来他又"寻着两三个妇女，也都搠死在了地下"，说道："我方才心满意足！"作者这样写，也许是为了准确地表现武松这样一个人物，这里不去评价武松，而要问：这样的暴力展示，在我们阅读的过程中，为什么不像面对色情文字那样，会派生出一种"难为情"的心理（也就是耻感）？我们在认为《金瓶梅》乃至于《红楼梦》中关于"风月宝鉴"的文字，"儿童不宜"的同时，为什么那样放心地把《水浒》全书推荐给青少年们，而丝毫不觉得其中的暴力文本会产生潜移默化的副作用？

对于我们民族文化中的精华，当然要吸收借鉴；对于我们民族文化中的糟粕，应当剔除批判。我以为对暴力的无节制展示，也是糟粕。更严重的问题，是我们现在进行新的文化制作，竟不断有放肆地进行暴力展示的例子，而并没有引出足够的批评。比如海峡两岸合拍的电视连续剧《包青天》，片头上即有铡刀铡人头的大特写，报纸上已有过报道，说是有那幼稚无知的孩童，看了这样的镜头，便真的用铡刀铡起同伴的头来，酿出人间大惨剧。我们常说要反对"诲淫"和"诲盗"。其实应当加上反对"诲暴"。这甚至是一个更为紧迫的任务。因为我们整个社会还缺乏足够的"暴力耻感"。

即使是正义的暴力,也要慎用。大众传媒对暴力行为的直接展示,应尽量避免。文学艺术创作更不应无节制地表现暴力。至于有意识地以暴力展示污染社会,那就成为犯罪了!我企盼我的呼吁能得到响应。至少,能引出关于这个问题的讨论。哪怕先来讨论一下对《水浒》中的暴力描写应如何看待,也好!

1995.7.26

他们的奖

10 月 5 号半夜，我正在书房敲电脑，电话铃突发锐响，一位海外朋友来长途，我以为他有什么了不得的大事，细听，却不过是告诉我，今年的诺贝尔文学奖得主刚刚宣布，是爱尔兰诗人西姆斯·赫内；这诗人我还是头一回听说，他写的诗更是一行也没有读到过；朋友说他属于"战后的一代"，今年 56 岁，那么，在诺贝尔文学奖得主中，他也算得是获奖时年龄较低的一位了。撂下电话，我继续在电脑上敲自己的长篇小说。

到今天，6 号，又相继有两位国内的朋友，都是文化圈内的年轻人，来电话跟我打听、议论诺贝尔文学奖的事。他们并未先于我获悉得主，但当我报出赫内名字，他们却都知道，令我大佩服；原来他们很关心这方面的事，手边有若干资料；据他们说，赫内其名已连续几年列于"热门名单"之内。所谓"热门名单"，有人说成是"候选名单"，其实据我所知，评定诺贝尔文学奖的瑞典文学院从未公布过任何"候选名单"，而且要求有投票权的院士们对所有涉及评奖人选的信息守口如瓶，因此，并不存在一份可被确证的"候选名单"；但因为诺贝尔文学奖毕竟是一桩极具新闻价值的事情，世界上的传媒，尤其是西方传媒，每年到了临近公布得主前，总免不了要猜测一番，那被猜到的名字所组成的名单，便构成一个"热门名单"，到了俗世人们的嘴里，也便叫成了"候选名单"。但这猜测，往往"八九不离十"，那是怎么回事？是不是瑞典文学院有人故意漏风或不慎泄密？我看不是，他们实在没那个必要；传媒之所以能列出"热门名单",道理也很简单,就是根据诺贝尔文学奖的评定规则,有几种人有向瑞典文学院推荐得奖者的资格,其中一种是已得过奖的作家,他们喜欢哪些尚未得奖的作家,认为谁该得,可以恣意发表意见而不受约束。他们的推荐往往最具效力,所以传媒据此开出"热门名单",自然并非"捕风捉影";再一种是全世界各大学文学系的教授,他们也有举荐权,他们的举荐当然不仅不必保密,而且巴不得尽人皆知,倘哪位所举荐的作家果然获奖,则教授本人亦因之声名大噪,等于连带得了个"伯乐奖"嘛;所以如果知名的教授一年接一年固执地举荐某作家,那么传媒将其列入"热门名单",亦属自然而然的事。两位年轻朋友所把玩的"候选名单",想来即源于此;原来西姆斯·赫内早在"推背图"里,他自己该是知道的,这回果然"蟾宫折桂",想来总不至于跳将起来,拍手大呼:"噫!我中了!"

这两年,中国大陆传媒很开展了些"中国作家为什么与诺贝尔文学奖无缘"的讨论,就我所见到的意见,已是众说纷纭,而"为什么要得那个奖?""诺贝尔文学奖算得了什么?"之类的不耐烦情绪,似也日渐浓炽。但在年轻一代中,关心这个奖项的人还是不少。给我打来电话的年轻人就分析说,90年代以来,瑞典文学院院士们的兴趣,似乎是连续性地朝相对而言偏离西方主流文学的"边缘地带"移动。1990年给了墨西哥的帕斯,1991年是南非的戈迪默,1992年是安得列斯群岛的沃尔科特,1993年虽给了一位美国作家莫里森,但她是黑人又是女性,其创作也属于西方文学的非主流地带,1994年给了日本的大江健三郎,是一位黄种人,且是用非西方语言写作的作家。这很令一些中国热心此奖的人激动,特别是大江本人在其言论中赞扬了某几位中国作家的作品,所以又盛传他向瑞典文学院举荐了某位中国作家,因之,"中国作家已到了获得此奖的边缘";但这回的赫内得奖,似乎意味着瑞典文学院的院士们又将他们的"兴趣钟摆"朝反方向摆动了,赫内是个处于西方主流文化中的"标准诗人",一生几乎都在西方最著名的高等学府中(哈佛、牛津)从事诗歌创作与教学;看来,也许明后年他们还会再次把以前被冷落的"主流"请回到瑞典文学院的颁奖台上来;这样,中国作家离颁奖台不是近了而是远了。

依我看来,诺贝尔文学奖离中国作家近了,固然好,有中国作家得了,更好!

我向他（或她）热烈祝贺！诺贝尔文学奖离中国作家远了，乃至于"无缘"，也无所谓；到本世纪结束时，诺贝尔文学奖获奖名单上仍无中国作家名字，一笑而已。诺贝尔文学奖不是文学的奥林匹克奖。世界文学也并不需要，并且不可能搞什么奥林匹克运动。据历史记载，当年诺贝尔留下遗嘱，要瑞典文学院负责评定文学奖时，瑞典文学院是并不乐于揽这个"瓷器活儿"的，他们后来也并不以为自己是每年在评定"世界最优秀的作家"，只不过是因为诺贝尔留下了那么一笔钱，又建立了评奖的"游戏规则"，于是历届院士们便年年玩一次"评奖游戏"罢了。当然，他们玩得挺认真，所以，纵观他们历年所评出的作家，虽未必是多么了不起的作家，而且诸多世人拥崇的优秀作家至死都榜上无名，但太离谱的例子，也还举不出来。又因为除了两次世界大战期间稍有停顿，此奖一直坚持了近一个世纪，算得悠久而有连续性，故世人印象深刻，而我国实行改革开放后，与外部世界的交流包括文学交流日益趋广趋深，每年诺贝尔文学奖得主是谁，官方都予正面报道，有关报刊也都尽快译介其作品，出版社亦努力出书，以至此奖在中国也渐成了一个未必多么热门然而颇有长劲的话题，这也都不难理解。

近年来的有关讨论中，有"诺贝尔情结"一说，指的是有些国人（不仅是作家、评论家或文化界人士，包括社会上方方面面的热心人）心里总揣着个"中国作家何时获得诺贝尔文学奖"的"郁结"。倘真有此"结"，我劝赶紧化掉。说到底，那个奖是人家瑞典人设的奖，不是一个世界性组织设的奖；当年中国未能恢复在联合国里的合法地位，你耿耿于怀是有道理的，就是比那小得多的事，比如中国足球尚未能获得世界杯的入场券，你很着急，也有道理，因为那毕竟是世界性的活动，诺贝尔奖评定却不是世界性的活动，这只是人家瑞典一国的事，并且也不是全体瑞典人。拿文学奖来说，只是那么十几个院士的"活儿"，现在瑞典人在他们家里评奖，没评给你，实在应当心平气和，人家没那么个把奖评给你的义务；而且，把奖评给你了，你不爱要，也可以不接受，比如法国的萨特，1964 年瑞典人把奖评给了他，他就宣布不要；瑞典人评的奖你可以不要，但人家评上你总是好意，不要，也别反把人骂一顿；萨特没要那奖，倒也没踩咕那奖；瑞典人好脾气，你不要就不要吧，但他们仍将评上你记录在案；这是一出文明游戏，得不得，要不要，都大可礼貌相待。

诺贝尔文学奖的评定中，是否存在偏见？这是近年来经常有人问也有人答的问题。需知这既是他们设的奖，本来就，一、没跟咱们商量就设了；二、评定过程、投票过程都没咱们参加；三、有评定权即投票权的瑞典文学院院士们，他们的世界观、人生观、美学观不受咱们制约；四，咱们更无法任免瑞典文学院院士。仅此四条，就说明那本是一个异己的奖：既是自身以外的一种存在，你要他不"偏见"而十分地符合你的主体性，让你觉得正确、公允、得宜，就未免是一厢情愿了，倘因此过多地费唇舌，人家不说你管得太宽，自己也应觉得累得慌。依我看来，偏见有两种，一种是主观上很清醒的恶意偏见，一种是主观上没意识到而无形中存在的偏见；倘说瑞典文学院院士对第三世界文学包括中国文学有偏见，那还看不出是第一种偏见。

中国作家得不上诺贝尔文学奖，据瑞典文学院院士马悦然说，是因为没有好的译本。瑞典文学院的院士里，只有他一人能读中文原著，其余的都不能，要知道中国作家写了些什么，必须先有人把中国作家写的方块字翻译成西方文字（瑞典文、英文、法文、德文。近年来，给我的印象，英文倒还在瑞典文之上），而且那翻译水平还必须让诸院士们满意。这样，中国作家和西方作家（包括能用西方文字直接写作的第三世界作家）在瑞典文学院院士们面前，便不具备同等的竞争资格，根本不在一条起跑线上；这让很愿意获得诺贝尔文学奖的中国作家们深感不平，也使得很不少的中国作家更清醒地意识到，搅在一个"翻译问题"，把那因素预先计划在自己的创作过程里，不仅不必要，而且很可笑，中国作家既然用方块字写作，也就要求他的读者是能阅读方块字的。瑞典文学院的院士们既然大都读不懂方块字，那就不是中国作家与他们无缘，而是他们与中国作家无缘，不是中国作家有没有资格得奖的问题，而是瑞典文学院的院士们有没有资格评判中国作家的问题。当然，中国作家很多，人各有志，意趣分流，也有的中国作家，特别是境外的，他们干脆直接用西方语言写作，在西方出书，成为"置身西方文化中在边缘向西方读者讲述东方（中国）故事的西方少数民族作家"，也颇有成绩不俗的例子。也许，倒是他们中的哪一位，会在本世纪成为头一个获得诺贝尔文学奖的中国作家（这是从血统上算，如以护照论，则多半已是一位西方某国的公民）。

日本人是看重诺贝尔文学奖的。社会上有人拿出大笔的钱来，资助西方的翻译家，让他们潜心翻译日本作家的作品。中国看来暂时还不能有这样的事态。日本更有不少有资格的人士努力举荐，或说动他国有资格的人士向瑞典文学院举荐他们国家的作家，谁排一线，谁排二线，都有谋算。他们很认真很具体地进入这个评奖游戏，而不是光在那里揣着个"情结"清议。有位日本朋友问我："中国知名大学文学系的正教授，加起来起码过百吧？他们都有向瑞典文学院举荐中国作家的资格，为什么竟很少听说哪位教授举荐了哪位作家呢？"我回答不出这个问题。也许有努力举荐，去进入那个"诺贝尔文学奖游戏"的教授吧，但更也许，是根本没有；连认为中国作家该去得，并认为有的中国作家已该得的教授，怕也没身体力行地去以个人名义做这件事，这是为什么？太认真，还是太不认真？

总而言之，诺贝尔文学奖是他们瑞典人设的一个奖，我们就算感兴趣，也千万别糊里糊涂地错把那奖认作了一种"世界文学联合国奖"，仿佛咱们也有一份评定权，或至少可以左右人家的评定似的。不把它放在眼里，不失为一种尊严。很看重它，也并不掉份。它既"面向全球"，有参与兴趣的，也无妨进入其程序，玩上一把。

三年前我应邀到瑞典文学院做过客，受到礼遇，他们有很大的一个书库，极乐于收藏各国作家用各种文字写出的严肃作品，而且他们随时都接受关于诺贝尔文学奖的举荐材料。按我的理解，我国有资格人士（比如大学文学系正教授）若要举荐某中国作家，关键是要寄上该作家代表作的原书、西方主要文字（如瑞典文，最好是英文）的译本、该作家的资料、举荐人之所以举荐的论证材料、举荐人本人资料（都应有英文译件），现在将他们的地址写在下面，以供欲投寄者备用：Box 2188.103 13 Sto ckholm.Sweden

他改变了整个中国的天际轮廓线

我懂得这件事总要发生。今天一早我被电话铃声惊醒，一位朋友告诉我，他已从电视新闻中看到了这件事果然发生了，他说在屏幕上所打出的治丧委员会名单，若干人名可能是一时不及从技术上完成，竟嵌入了汉语拼音，比如朱 RONG 基这个细节不知为什么使我好几个小时不能忘怀，中午时我打开电视机看新闻，这一技术性细节业已解决。我从楼窗下望，楼下那家著名的南味食品店稻香村门前仍如昨天一样，慕名而来的土购买元宵的人们，排着不短的队——明天就是元宵节了。我家的阿姨，是从安徽无为县来的，当我把这个重大的事情告知她时，她说："没有他，我们也不能进城来啊！"我想到楼下稻香村里满满当当的货架子，以及虽然排着队，但不会有人买不上的那些现制元宵，还有，马路对面的那家美国肯德基家乡鸡快餐店，以及远处这十多年耸起来的可谓林立的高楼，仅这十分简单而粗疏的联想，已使我再一次铭心刻骨地意识到，确实，邓小平这位伟人，他改变了整个中国的天际轮廓线。我今年要满五十五岁。我的少年和青年时代，是在毛泽东的巨大影响下生活过来的，进入中年后，则是在邓小平的巨大影响下生活。伟人走了，而像我这样的凡夫俗子，还要继续个体生命后面的路程。我一时百感交集。

1997 年

水红的舞扇

每到傍晚，窗外便会传来阵阵刺耳的锣鼓声，知道那是附近的一些老太太在扭秧歌。

这是俗世中的一种新时尚。

曾在报纸的"读者之声"中看到过对此种秧歌活动锣鼓声喧、扰民甚烈的抱怨。很有共鸣。不过，那读者说扭秧歌就在他们那座楼的窗下进行，他说他并不反对别人采取这样的娱乐与锻炼方式，但应当到离居民楼远些的地方去"自得其乐"。我们附近的扭秧歌活动，严格来说，已离居民楼较远。我们楼下是一条马路，马路外边是一条疏浚过的护城河，河边有颇宽的绿化带，在河那边的绿化带坡上，有一片开阔的小公园，小公园再往外，则是车水马龙的二环路；扭秧歌的人们，是在那小公园里活动。这实在已不好投书报社，抗议他们扰民了。

但扭秧歌的伴奏锣鼓，总还是要飘进我们楼的窗户。那是只有节奏而无旋律的一派热闹，充溢着俗世芸芸众生的浅薄趣味。曾在与朋友通电话时议及此种俗世陋风，朋友说："那些个老太婆，面目没面目，身段没身段，可偏要扭捏作态，一个个仿佛二八佳丽……丑死了！"我由衷附议："这股妖风是怎么刮起来的呢？居然流布得如此之广！"

其实我以前便一直没有凑近去观察过她们的"丑态"。我主要是靠想象，或者说全凭感觉；我对她们的鄙夷，来自所谓"绝对命令"。那"绝对命令"告诉我,她们太俗！

你 哼 的 什 么 歌

当然我并不是不允许她们搞民族化的舞蹈，也并不是要她们排练"霓裳羽衣舞"，她们完全可以扭秧歌——但她们并不能再现当年东北大秧歌或陕西秧歌的那种粗犷与豪放。如果她们能"土得掉渣儿"，那可就棒极了，我会像喜欢非洲部族木雕或爱斯基摩人手工骨刻一样地欣赏她们。

我凭窗远望过她们的身影。看不大清，因为居然有很多人围观她们的舞动。只发现那些扭秧歌的人手中舞着水红色的大扇子。那些水红色的舞扇尤其令我感到俗不可耐。

远远一望，便猝下结论，这也不是我一个人的毛病。虽说是凭感觉，或仅是远远一望便俨然真理在手，确定了别人的低俗与自己的高雅，我却非常自信。这还有什么好讨论的！俗世的鄙陋，又增一例。

直到今天，因为闷热难耐，下楼寻凉，又因平时惯往的那条路正在翻修，所以竟不知不觉地往护城河对岸走去，并走到了那小公园里。

这才接近，并最后逼近了那扭秧歌的俗世景观。

扭秧歌的，确实都是老年妇女。其中最年轻的，总也有50多岁；那年纪最大的，或许都过了70。也确实没有风韵犹存的角色。估计受过高等教育者趋于零。多数甚至一眼望去便是市井粗妇。矮胖者有之，高瘦者有之，中常者腰围也都可观。她们穿的都是很普通的廉价衣衫。穿裙者与穿裤者约各占一半。衣衫的色彩都很素净。但她们右手都持有水红色带软边的大扇子，想是集体购买的，因为相当地"一体化"。走近了细观察，才发现她们左手都持有一块纱巾，纱巾颜色不尽相同。她们在锣鼓点的伴奏下，两人一排，非常投入地扭动着，扭动中右手有规律地扬起、落下那水红的大扇，左手则相对各随己意地甩动那纱巾……给她们伴奏的，则是男人。一个打鼓的，是个老头，一个打锣的，是个光膀子的壮汉，两个打镲的，是精瘦的中年男子。

锵咚锵，乞锵乞……舞者近乎虔诚地舞着，伴奏者更满面严肃地敲击着，而最令我吃惊的，是围绕在四周的旁观者，那是老少几辈，男女都有了，可绝大多数，都默然专注，仿佛在参与某种神圣的仪式。

这才痛感远望不能替代近观,凭感觉而不凭"通读"便猝作评议,特别是,先验地判定自己的崇高与他人的低俗,是多么地具有冒险性与破坏性。

我直面的是北京最新近的俗世一隅。这些扭秧歌的妇人,从她们大多饱经风霜的面庞,与被累积的人生悲欢磨糙了的身段上,可以估计出,她们今天能这样忘我,并且也毫不在乎他人的眼光,全身心地投入在这简单而凝重的舞动中,该是她们生命尊严中多么辉煌的时刻!她们在这之前或者简直根本没有舞蹈过,或者只是为了担负某种外予的任务而曾跳动过;现在,此刻,她们不为别人,甚至不为丈夫和儿女,而仅仅为她们本人,可以说是放肆地扭动起来;由于她们曾长期在不能尽情尽兴使用肢体语言来呈现自我情愫的压抑中生活过来,所以如今她们的腿脚腰身都已皆难婀娜多姿,但她们用一把"反年龄"的水红大扇,来外化了她们内心所释放出的颇具狂野性的诉求……

忽然我在舞动的队伍里,发现了久违的蔡大妈。我曾与她在一个胡同杂院里为邻10年,原来她也迁到这一地区来住了。难道这真是当年那位蔡大妈吗?我目睹过蔡大爷酒醉后打她撒气,也曾在劝阻后,把她接到我家小屋,听过她絮絮的哭诉;她拉扯大了三男二女,三儿子跟人"碴架","折"进过"局子",她一个月里急白了两绺头发;二女儿在插队的地方,因为在河边洗鞋,跌进河里淹死了,消息传来,她有整整一个月,不跟任何人说话;老伴蔡大爷中风以后,卧床不起,她接屎接尿尽心伺候,蔡大爷临终,像在跟她说什么,谁都不懂,唯有她懂,后来她跟我说,那是老头子头一回跟她说"文明词儿"——"对不起!"蔡大妈原是塑料厂的"洗瓶工",就是专门洗刷回收的塑料瓶的,她的一双手,伸出来活像枯树纠结的根……蔡大妈的个体生命,深植于我们这个城市的历史之中,面对着蔡大妈这样的俗人所构成的俗世,我没有道理自诩崇高,是的,我在书房中听CD盘放送出的比如说勃拉姆斯的小提琴协奏曲时,也许的确灵魂如沐花雨,但此刻的蔡大妈,她穿越过人生幽深的河谷,一任自我心灵在放纵中陶醉,她手中那把水红色的舞扇,与我音响旁的那本梵高画册,其符码意义,究竟存在着多大的差距?

我又进一步辨认出,那一旁参与伴奏的敲锣壮汉,便是蔡大妈的三儿子大熊;倘若不是有蔡大妈这样一个"参照系",我不会确认出他来,他现在是我们这个城市非外来的典型粗人。记得他仿佛是个收垃圾的清洁工。现在他裸露着一身粗砺的肌肉,非常尽职地在为有他母亲在内的秧歌队击锣。虽是夜晚,我却觉得他脸上放着光。我注视他良久,从他的形体神态中,我感受到一种最本原的人性善美。

我返回家中的路上心中充溢着感动与惭愧。

我在想,什么是人文精神?人文关怀,应首先是世俗的关怀,就是企盼像蔡大妈那样的芸芸众生,能逐步地提升他们的物质与精神生活,并且鞭策自己,作为一个文化人,为此多些切实的努力,这首先就不应当与芸芸众生疏离,即使不必与他们"混同",至少应当乐于直面主要由他们所构成的俗世。

我在想,我当然应该有理想。我的理想应该是什么?从社会理想上说,我应该多多认知与发掘出积淀在芸芸众生深处的善美,作为不竭的资源,用以去批判涤除为害甚烈的腐败与虚伪。

我在想,我当然应当竭力提升自己,以达于崇高与雅洁的境界。但真正的崇高应根植于对无数蔡大妈这样的芸芸众生的尊重之中。蔡大妈她们的扭秧歌的确尚属一种低级形态的俗文化,但唯有直面此种俗文化,并从中找到俗雅之间的桥梁,方有可能使俗者渐雅,并且使雅者从极俗中汲取到营养,获得启迪,从而达到大雅若俗的至高境界。

我仍然不能喜欢那水红的舞扇,但我感谢它所划出的虹影所赋予我心灵的新状态。

1995.7.6

风筝点灯

我住在北京安定门。这座门早拆掉了。现在相当于以往城墙的地方是二环路，相当于当年安定门城楼的地方，则是立交桥。安内安外，变化不小。入夜，内外的霓虹灯交相辉映；二环路上是两道逆动的车流，一道白色的前灯相衔，一道红色的尾灯相续，环状的立交桥盘路上，转圈改向的车子构成都市景观中华丽的旋涡。

安内安外，一派熙攘杂驳的景象。古色古香的地坛，经过疏浚的护城河，以共青团员义务劳动建成的青年湖公园，展现民族精英风采的蜡像馆，有着回旋滑梯的水上乐园，号称"京宝花园"的高级外销楼，刚刚开业的麦当劳快餐店，未必会被"巨无霸"汉堡包击败的上海荣华鸡，仓储式自选商店，老字号稻香村，专营复印机的汇通公司，正紧张施工的三利商业大厦，四川酸菜鱼火锅，龙门阵酒家，台资韩上楼石头火锅与无烟烤肉，海南大厦及其海南特色风味餐，穆斯林酒家附民族歌舞伴餐，萃华楼分店专营北京烤鸭，一系列的个体低档小饭馆，一长溜的个体水果摊，地铁口的报摊兼卖畅销通俗杂志，大街拐弯处的汽车修理兼刻制圖牌……处于两极的，大概是安内亟待改造的危旧居民房，和地坛公园旁边的天元俱乐部；前者中的居民有不少人因所在厂子不景气，一月只领百十来元在家"听信儿"，手中的医疗费单据不知何时方能报销。而后者门前夜夜停着豪华小轿车，举凡奔驰、林肯、卡迪拉克、宝马、凌志……林林总总，交相辉映，据说入其内者，先吃潮州海鲜席，再打台球，再进 KTV 包房卡拉 OK，再洗桑拿浴，再享受按摩，再饮洋酒小憩，总算一个人的消费约一万余元。

这便是我居所的人文环境。万丈红尘中，属于我能进入的空间大约刚好一半。我最能向问询者详细介绍的是酸菜鱼火锅，如问及天元俱乐部里的情况，便主要依靠想象。我在安内有些市井朋友，他们住在有雨必漏的危房之中，对他们来说，酸菜鱼火锅的味道也只能想象，或干脆不去想象。

然而今年夏秋的夜里，我的这些市井朋友，在安定门立交桥的人行道上，创造出了一种奇观。

安定门立交桥修造得比较早，它的转盘形车道外侧，有颇宽的人行道，这构成了它的一大特色。夏夜里，许多附近的居民，会汇聚到那人行道上乘凉。有人倚着桥栏，有人坐在自带的小椅子小凳上，有人则来回徜徉。入秋后也还有不少人在那一带遛弯儿。我四季都很喜欢在那里凭栏眺望二环路上的车水马龙，还有远处像钻石般闪烁的高楼大厦，从中获得一种魅惑的审美乐趣。

大约立秋以前，入夜散步至安定门立交桥，忽然发现桥上人行道上，不少人仰头凝望着什么。原来在大白天里，特别是双休日，桥上人行道上，往往有些人放风筝。我也曾在那里现买现放过。花10元钱，便可买到一只扎制得颇精致的风筝，并获得一辊子长线。那里有宽阔的天域，并且由于风向，风筝极少朝有车行的路上飞动，而很容易升腾到高空。记得我头一回将三尺长的沙雁风筝放飞到高处，望去犹如一只蜻蜓时，心中真是充满着难喻的快感。白天放风筝，会有人仰面瞭望，这黑夜里人们瞭望，难道是也有人在放风筝么？

果然，入夜也有人放上了风筝。风筝纵然放得上去，可融汇在夜色中，怎能看清风筝的面目呢？我随众人目光仰视，啊，风筝是无从得见，但有星星般的灯光，分明是与风筝线相连，在夜空中摇曳！

这是安定门市井朋友们的新发明。我看见我的老相识大巴掌也在那儿，他也正打算放一只灯筝。走过去打招呼，细观察，原来，是把一种装电池的读书灯，固定在了风筝线上，离风筝大约10来米的距离，待风筝升空以后，原来在立交桥上毫不显眼的小灯，却在高空中分外璀璨。

大巴掌也属于停产厂子的"听信儿"人士。他们那个厂子每月只发得出75元。眼下他跟老婆在安内街边摆了个西瓜摊。还是跟亲戚合资的。他一边让我待会儿去他那摊上抱瓜,一边让我帮他放飞那带灯的风筝。

我们的风筝冉冉升起,我的手,触到了大巴掌那粗砺的手,手温的偶一传递,在我这方面,竟引出了心中的环环涟漪。

大巴掌他们那个社会群体,其实比我所在这个涂有文化徽号的社会群体,所失落的更多。但他们的韧性,却大大超过我们。

大巴掌推开了我的手,以应付一阵乱风,将那风筝,升到了高处。他所安的那盏灯,是一盏红灯,红灯在夜空中终于稳稳地定住,如一颗闪闪的红星。

另外的几位筝友,也升起他们的灯筝。有白色的、黄色的,甚至有蓝色的和绿色的,而红色的居多。风筝点灯,灯光如星,如梦如幻,牵引着地上许多的目光,激起无数复杂的联想,而又归于最素朴的人世间合理企盼。

安定门告别了古旧,辞别了单调,迎来了繁华,营造着奇诡,使人们共享到了若干乐趣,却也显示出令人担忧的分化与不均,尤其是其中潜行着的腐败与糜烂,即使是不得其详的大巴掌他们一群,也嗅到了其恶臭。我深知,大巴掌们是反腐败的最坚实的社会基础。

不过,安定门毕竟安定。大巴掌们在夏夜里风筝点灯,以长长的线,牵动着他们微妙的情愫。

不知道那些坐在凉风习习的豪华空调轿车里的"成功人士"们,当你们驶过安定门立交桥时,是否会发现这风筝点灯的景象。他们多半不会。他们真该看到,并有所憬悟。这样他们再到天元俱乐部一类地方一掷万金时,也许心态上便多少会有些调整。那些用公款到俱乐部夜总会消磨者,更应注意到大巴掌们坚韧的存在。我太冬烘,才有这些怪想法,是吧?

快入冬了,放灯筝的景象,估计会逐渐中止。但夏秋夜里风筝点灯的景观,会长久地嵌在我的魂魄之中。

1995.11.5

冬日看海人

我偶然遇到一位来自大西北小镇里的小学教师。猛看上去他似乎已然年过半百，因为他脸上有那么几条很长也很深的纹路，并且头发也花白了；可是跟他交谈时，他那双眼睛却闪烁出很有劲的光芒，使我又觉得他实在还很年轻。原来他刚刚四十出头，正当壮年。他是从北戴河返回到北京，即将再坐火车回到他那个离大海非常遥远的小镇。

我遇到他的那天，西北风正在北京久旱无雨的灰色天宇推磨般地号叫，在这样严寒的冬日里，人们一般总是尽量往温暖湿润的南方跑，可是，作为一个自费旅游者，他却偏偏去了北戴河！

他为什么去那儿？这算是什么样的癖好？

他告诉我，二十年前，他们那个小镇还没通电，可是他在教学生的课文里总是不断地提到电，举凡电灯呀、电线呀、电话呀、电视呀、电车呀……学生们常问他：老师，那究竟是什么样儿？他很惭愧，身为人师，却眼界狭隘，连真的电灯都没见过！有一天，是放假前一天，当又有学生问到"究竟电灯什么样"时，他便下定了决心，第二天天还没亮，便揣上干粮，往一百多里外的县城走去，他足足走到那天深夜，才抵达县里，当他敲开县教育局的大门时，那值班的人一开始以为他是个坏人，后来他见到屋顶上闪亮的电灯，激动得笑着流下了眼泪，别人又以为他是个疯子……第二天县教育局的局长亲自带他见识了电话、电唱机、电熨斗什么的，又请他到电影院看了一场电影，临走送他时，又送了他一只电灯泡，那只电灯泡后来成了他课堂上极珍贵的教具，一直细心地保留到若干年以后，他们那个僻远的小镇终于也通了电，于是他当着班上的同学，举行仪式一般，将那只灯泡旋在了教室的灯头上，当那盏电灯在孩子们热烈的掌声中放出电光，将那简陋的教室照耀得通亮时，他又一次笑着流下了泪……

后来他得到了进县城进修的机会，并曾到省城出席过劳模会议，他具有了正式的师范学校学历，还继续进修大学课程，他眼界大开，他那个学校也大变了样，现在他们那里经常有电影放映队去放映电影；虽然由于山区地势复杂，他们那个镇子如今还很难接收到电视转播讯号，因此除了几户人家为显示阔绰已然置上了大彩电，看电视仍是一种大家所祈盼的超级享受。当然，他本人有更多的机会在电影和电视上看到几乎全世界的万种风情，可是，这两年常有学生问他："老师，大海究竟什么样啊？"他总是根据自己从电影、电视上得来的印象，耐心地向学生们形容……可是学生们也从电影上看到过大海，他的经验并不能超过学生……

于是他决心亲自来看看大海。这回寒假一放，他便启程了。当他在县城教育局宣布这一壮举时，连局长也很羡慕，因为那已年近花甲的局长，也从未见过真正的大海！

他为什么不是在暑假时而是在寒假时跑来看海？那原因很简单：冬日看海是可以省很多钱也省很多事的！并且，他两眼闪着异样的光，对我自豪地宣布："冬日的大海，别有一番雄奇的景象！"

他说他刚出现在北戴河时，一开始也曾被人猜测为坏人或疯子，可是后来受到了异常热烈的欢迎，他说，那些设备非常好的休养所，一到冬天如果揽不到会议等项目，那就冷落到极点，值班的人员总是非常地寂寞……

他说这十来天里，把冬日的海景看了个够，从各个角度看，在各种光线下看，从容地看，哼着歌看，甚至跳着舞看……他把我说得也羡慕起来，不仅是羡慕，甚至是嫉妒，因为我虽然有很多次夏日观海的经历，可是，我年过半百了，却还根本没有过冬日观海的体验！仅从这一点上说，我的人生便没有这位西北高原小镇的小学教师丰富多彩！

冬日观海的人离开北京，坐硬座车回那遥远的地方去了。他没有在北京久留，他只游览了天安门，没去颐和园、长城什么的，他说一来他没剩多少钱了（为了看海他花光了五年来所有的积蓄约五千多元），二来他圆了看大海的梦，心满意足了！

我只是偶然地见了他一回。他走后，我甚至已不大能形容出他的相貌了，唯有他闪亮的眸子，还有一身大海的气息，长久地萦绕在我心头，使我憬悟：每一个最平凡的小人物，只要以敬业精神点燃执著追求的火把，都能使自己的人生闪烁出童话般的美丽灵光！

挡风席

不知不觉又一春。走到绿地，见园林工人正在拆除雪松一侧的挡风席。雪松比较娇嫩，不耐北京冬日的严寒；于是每到入冬前，园林工人便为每一棵雪松架起挡风席。挡风席一般是用三根木柱呈直角形固定，挡在雪松的北面和西面。冬日西北风袭来时，雪松不仅不受寒飙的凌辱摧残，而且只要晴天出太阳，那从东面和南面射来的阳光，便会因挡风席加以拢接，使雪松能获得比其他没设置挡风席的树木更多的温暖。绿地中的那些油松侧柏，因为没有挡风席的呵护，凭自己的抵抗度过了严冬，耗丧了不少精气。因此虽未凋蔽，却也绿暗青晦，必得在春风春雨中恢复一阵，方能转碧呈翠。雪松却只待挡风席一拆，立时鲜丽潇洒、摇曳多姿。

我注意到，园林工人细心地收集着固定挡风席的木料，显然是准备冬来时再用；可是那拆下的席片，却被他们不经意地踩来踏去。一问，果然，那些席片都将作为垃圾废弃。我弯腰观察那些席片，经过一冬与风霜雪霰的持久抗击，已然糟脆霉变，也确实再派不上用场。可是，细加端详，我却发现，那些席片的肌理中，似还有着未灭的脉息，是在慨叹自己艰辛的奉献，还是在艳羡将与春光嬉戏的雪松？我的胸口紧缩起来。

离开绿地，缓缓地往家里去，浮想的翅膀是沉重的，并不能联翩。先是憬悟到，自己譬如雪松，起码一度仿若雪松，其实是娇嫩任性的，却总以为风光归我，名正言顺，何曾思及有那挡风席在我西北两侧，拼力地为我抵御过风刀寒剑！自己在席后真是快活得不得了，伸卷自如，歌吟嗷啸，聪明才智，恣肆挥洒；或者也注意到了挡风席的存在，却嫌其古板老朽、碍手碍脚、絮絮叨叨、不能识趣……现在挡风席已然鞠躬尽瘁、弃无踪影，才忽怦然心动，悲从中来！三春晖固然难报，寒冬的呵护更恩重如山啊！

又想到，从某种角度说，在某种程度上，自己是否也一度充当过某些雪松的挡风席呢？对于自己所捐弃的时间、精力，所承受的寒流、压力，是应该无怨无悔的吧？看到那雪松甚至于并没有意识到我这挡风席的存在，由着他的性子活泼泼地生长发育，出落得珠翠美玉般人见人爱，占足春光，尽显风流，能生出要其知恩来报的念头么？能妒其春风得意而自叹烛灭烟消么？如果一旦需要，只要"一席尚存"，还愿奉献那挡风的牺牲么？

有挡风席的雪松，是幸福的生命。

为雪松挡风的席，是生命的幸福。

1997 早春，写于绿叶居

青葫芦

　　我家客厅茶几上，养了一丛合果芋，是用一只大葫芦水养的。那大葫芦是有一年上冀东农村，向一位农民老大妈讨来的。那是她自家院里结出的葫芦，家人将葫芦上部对称地割去两块，使留下的部分恰呈提把形状，她用来当针线篮儿；我见了喜欢得不行，便要出钱买下，她哪里要我的钱，说："喜欢你就拿走！"并且立即腾空了那葫芦，热情地塞到我手中。我将大葫芦篮儿抱回了北京家中，灌水养绿叶，往厅里一摆，真是人见人爱。

　　几年过去，虽然所养的绿叶越来越碧翠秀逸，那木化的葫芦壁纵使再厚，也经不起长年累月的浸润腐蚀，终于在最近我拿起换水时，溃破了一个铜钱般的洞。于是寻觅一个新葫芦便成为了我的一桩心事。但这样的葫芦在农村也并非俯拾即是，欲在城里找到一个，岂不是想入非非？

　　谁知天下竟有十分凑巧的事。有一天我在居处附近的护城河边散步，走着走着，忽见一处临时工棚的朝阳一面，栽有一棚攀缘植物，绿润润的好爽人眼目。先是看出吊着些丝瓜，走近细观，哎呀，竟还有一角是栽的葫芦！有一两个葫芦虽然不及我所拥有的那只大，却也"非同小可"；栽种者怕它们的蒂经不住自重，已经用草绳盘了吊圈，从架子上垂下来接住它们肥胖的身躯。我知道那工棚是为一栋必得盖上一两年的大厦，而为外地民工所设的；他们来自农村，带些瓜子什么的播在工棚外面，恐怕大半并不是为了实用，而是寄托着说不出来，却时常在灵魂深处涌动着的一种情愫吧。

那天我走拢绿棚下时，工棚里空空的。一位老师傅迎上来，他显然是留下看管工棚的；我们很快攀谈上了，我发现他操一口地道的川东话，原来是个老乡！我便也用家乡话回应他，一来二去的，双方都备感亲切。他对我有问必答。我得知住这工棚里的民工大都来自一个乡，他的儿子和女婿也在内。我问是不是因为他属于老弱，所以派他留守，他便站起来，挺直腰板，屈伸双臂，笑说在这工棚里掰腕子，他还稳拿第三名呢！后来我便问他这葫芦是谁的，说想买一个，他说："送你就是！如是公家的，我也不能送，可这是我种的，你喜欢，送给你，也算有缘！不过，它们都还没长'登'呢……""没长'登'"就是还没发育充分的意思，于是他问我住在几号楼几层几号，说过些时长"登"了，他会在轮休时送到我的"府上"。

谁知恰在那以后，上海传来戴厚英遇害的噩耗，并且不久便破了案，凶手竟是她老家原来教过她的中学老师的孙子！我与戴厚英80年代在芜湖、广州、香港有过交往，音容宛在，真不能接受她大白天在家中被砍杀的事实！我一连好几天都为那凶手人性的黑暗而战栗；同乡，母校师长之孙，曾接待过的客人……竟突然凶相毕露，举刀劈来！这样的事发生过后，我们的家门还能轻易地为仅仅是同乡的初识者而开吗？

在我印象里，戴厚英是个心直口快的人。我遇到她时，已是她的《人啊，人！》出版以后，她对"文革"经历的主动反思，给了我很深的印象。1986年初夏，我和她分别由不同的机构邀至香港访问，在维多利亚公园附近的一家饭馆里，香港文化界的一些人士把我们邀至一处晚宴；那大概是戴厚英头一回出境访问，言谈举止中，虽旷达爽朗，却也略显拘谨，那时我们对香港人那"夜生活从晚9点方才开始"的生活观念，很是陌生，因为她是位于新界的香港中文大学邀请的，住在那边招待所中，所以席间她几次跟我说，这样晚了，回去那么远的路，在中大车站下了车，还要爬上树木葱郁的山坡，会不会不安全呢？其实我们散席后，港岛湾仔、铜锣湾一带，正是万丈红尘、热闹到不堪的地步，而无论九龙那边的弥敦道，还是新界的商业区，也都是"好戏才揭序幕"，哪里算得夜深归晚？后来我也曾到中大做客，住在校外赤泥坪村，常常夜里 11 点才从港岛归去，也曾爬过那座树茂花繁的山坡，何曾有过什么危险？……忆及这些琐细的事情，我的心只感到灌了铅般沉重；万没想到戴厚英却是在自己的家中，在一个大白天，在她绝无防范的情况下，反遭到了致命的危险！消息传来时，也曾替她设想过，进门后发觉异常，何不转身奔出，赶快招邻报警？据说她当时是大声呵斥，甚至当凶手来扼她的喉管时，她还来得及对那毫无人性的凶手说："你会后悔的！"她至死不改其性格，对凶手尚存劝善之心，思之更令人恻然！

戴厚英的悲惨遭遇，确实令我心乱。我们究竟还要不要放胆地接触陌生的来访者，或家乡、熟人辗转介绍而来，寻求我们帮助的？说到底，我们对人性还要不要存有基本的信心？难道我们必须将怀疑与防备作为待人接物的头一道"工序"吗？即使对那些我们看出是"来者不善"的家伙，我们是否仍应抱有他可能会知耻而悔的信念？这思考真令人痛苦。为什么偏让戴厚英这样一个人遇上了灵魂酽黑、无可教药的残暴杀手？命运于她而言真是太诡谲不公了！……

那一天我心里正乱，忽然门铃锐响。没约过人呀，谁呢？打开门，原来是前面讲到的那位民工老乡。我迟疑了一下，才把他让进屋；他进得屋来，我才看清他提着一个鼓鼓的塑料袋……原来他给我送来了两个葫芦，他笑吟吟地说："让我好找！……这葫芦倒是长'登'了，可还是青的，你要把它们放到阳台上，让太阳照上一阵子，它们才好变黄呢！"我忙请他坐，给他倒茶、削苹果，和他聊天，还找了几件半新的衣裤给他……然而临到他告辞的时候，我忍不住说："你莫把我这个地址再告诉别的人……现在社会治安……哎，你，你来，我是欢迎的，可是，你们那么多的……"他望着我，那表情让我莫可形容，稍顿，平静地说："我晓得，晓得……我就是给你送葫芦……我再不来的……你还是要到我那个棚子底下来玩啊……"

送走他，我把青葫芦放到阳台上，抚摸着，心里更乱；我不知自己是应该为跟那民工老乡说了那样的话而害臊，还是应该为自己从"戴案"中无形提升的警惕性而自得……我忆念着戴厚英临死前吐出的那句话，想到她在那样的情景下还对黑暗的人性存有可能悔悟的信念，不禁喃喃自语："人啊，人！……"

1996.12.2 改定

大瞿岛

你到哪儿去了？

到大瞿岛去了。

哪儿？那是什么地方？

它在浙江省温州市所属的洞头县。洞头县在温州瓯江口外的大海中，由103个岛屿与259个礁石组成。不过，这些岛礁中只有14个岛有人住。大瞿岛也许是14个人居岛里离大陆最远，并且也最小的一个。它的面积只有2.3平方公里，也就是说，比北京的天坛公园还小。不过它可不是天坛公园那么样的一块平地，从远处望去，它是矗立在万顷波涛里的一砣巨岩，岛的最高处海拔约240米，周遭大都是嶙峋怪异的悬崖峭壁；乘船驶到很近处，还是会怀疑这岛有人居住，何处可以泊舟登岸呢？但船绕到岛的东南面，却忽见秤砣般的石崖现出约100来米宽的崖缺，崖缺中现出了一片浅滩，退潮时，更露出一坪黄沙，于是随即你可以看到石砌的小小码头、防波堤……以及山岙口石屋错落的小小村落，那便是岛上唯一的居民点——大瞿村。

最近不是台风季节么？你怎么专拣这时候去那儿？

正是台风季节。翻开《洞头县志》，自有记载以来，凡台风正面袭击洞头，均有人亡屋塌的记录，1994年遭遇百年来最大的台风，损失更加惨重。台风这种自然灾害，虽在预报上比地震略可准确，县里几套领导班子凡有预报时总是倾巢而出，带领各处干部群众招回海上船只，加固防波堤，转移危房居民和可能遭袭的仓库物资，动员电力、通讯、医疗等部门随时准备抢修抢救……可是往往那风速达于每秒 40 米，并伴随暴雨海啸的台风还是要给岛上留下疮痍。台风的肆虐光顾既不可免，那为什么不迁往别处？这当然是一个愚蠢的问题。不迁。因为这里是先民开辟出的故乡。他们说，我实在应该这时候来，唯这台风期中，方最见他们岛民本色。我坐在驶往大瞿岛的汽艇上，听着当地电台播出的预报，今年第八号强台风，已抵达台湾以东洋面，中心风力十二级。我觉得汽艇在大海波涛中的爬升跌伏已足令我这旱鸭头眩胃翻，而他们却道好个风和日丽！我的想象力，实在不足以用来感受台风袭来的情景。

如果真赶上台风袭来，你怕不怕？

我怕。他们说第二天一定把我送回温州。在那里我只要待在远离江边的招待所里，是不会有什么危险的。当然在洞头他们也不会让我出危险，不过 1994 年的十七号强台风一度使洞头不仅停电，而且也毁坏了电讯设备，船是不可能行驶了，听不到外界广播看不到任何电视，也打不出电话，"大哥大"的信号也接不到传不出，一时间与温州及其他所有地方都失去了联系……这样的情景倘若再现，他们不忍令我同苦，我听了也真是不敢强出壮语。

倘若台风骤至，我甚至回不到洞头县主岛，而困在了这大瞿岛呢？

那就反而不那么可怕。我走进了大瞿村，这个小小的渔村还根本没有连上海底电缆，现在竖起了几根电线杆，那是近年来县旅游局为了将岛上的奇石怪岩辟为旅游观光景点，运来了柴油发电机，必要时自己发电、输电用的。这个小小的渔村因此无所谓怕停电怕听不见广播看不见电视以及一时去不了别的岛和温州市。正是禁渔期，渔船不知都泊在了哪个岬湾，而那些水泥构件与山石砌成的或略富或稍艰的渔家屋，高低不一，方位也不一地掩映在翠竹绿树中，门前窗外或挂着待补的渔网，或晾着欲将风干的鱼鲞……而村中无论男女老少，脸都红扑扑的，对陌生人现出淳朴的微笑；据说最初一批旅游者到了村中，观景之余，这个海鲜也稀奇，那种山珍也惊叹，便问他们："多少钱？"他们说："喜欢，你就拿去啵！"真白拿去，他们比拿的人还喜欢！现在他们懂得收钱了，然而还是把你的喜欢看得很重。我说，我真的喜欢这个世外桃源般的小村。他们说，那就是最大最猛的台风来了，你也顶顶安全。

为了报答你的喜欢，村里人会拼力保护你甚至不惜牺牲他们自己。我信。我后来被引去参观了那些冠以了诸如"石佛观海"、"老妪梳妆"等名号的奇石怪岩，很有意思，不过在我心灵里烙下更深重印迹的，还是村民们的那种安详、坚毅、淳朴、好客的神情。

他们告诉我，大瞿，是闽南话"渡居"的谐音。岛上最早的开拓者来自闽南，他们认定渡到这里，便可安居，从此村落稳在，任是台风来时，也渔歌不息，炊烟不灭。

回到了北京。不仅夜梦里有大瞿，就连白日里闭眼略事养神，那岩，那浪，那村，那树，那些因你喜欢便愿为你奉其所有的面影，也生动地浮现在心头。

1996.1.12

在天化作快活鸟

一早接到邻居苏利电话。她是一个行动不便的病人，但非常乐观。她善于捕捉一切快乐的信息。对了，她往往不说"快乐"而说"快活"。原来我总觉快乐与快活的含义并无毫发区别，接听她电话多了——她常跟我妻子在电话中长谈——我们经她感染，逐渐体味到了这两个词儿的区别。快乐只不过是高兴的意思，而快活，则意味着不要"慢慢地活"而要"快快地活"，也就是不做时间的奴隶，不将人生的途程视为一种煎熬，而是当做一种飞翔。也许是苏利的病症早被医生指为一种目前无法根治，只能取"保守疗法"应付，并有一个挺长的拉丁文字名的怪病，所以苏利对"活"字特别感兴趣，她不说"快乐"而说"快活"，这怕是一个更直接也更个性化的原因。

苏利每天看电视、听广播的时间自然比我们多，她经常在电话里向我们推荐一些节目，耐心地告诉我们那节目什么时候会重播，嘱咐我们不要错过，倘若那节目一时难再看到听到，她甚至会在电话里绘声绘色地转述给我们。她所推荐的当然全是快活的节目，再好的悲剧我们也是不会从她那里得悉的。今年年初，她以极高昂的热情给我们推荐电视里《曲苑杂坛》藏族新星洛桑和他老师博林表演的节目，说是"真让人太快活了"！

其实我们不用苏利介绍也自发注意到了《洛桑学艺》这个节目，高高壮壮、憨厚里透着聪慧、乖巧里包着幽默的青年洛桑，还有那与他珠联璧合的博林。他们的节目，是口技、双簧、相声乃至杂技的嫁接物，也许曲艺界要确定他们节目的归类还有一定的困难，给予学术性评价更需再三斟酌，但对于我们这样的观众来说，节目的称谓以及学术性评价都是很次要的事，关键是他们的表演实在令我们大大地快活，起码在观看他们表演的过程中，忘却了时光的流逝，不知老之将至，暂将烦恼撂一旁，且坐沙发开口笑。

节目虽是两人合演，核心自然是洛桑，他是盛开的花，老师博林甘当碧绿的叶。节目没多少深刻的内涵？为什么对这样的表演也索要深刻？深刻当然非常必要，乃至于是我们为人的最主要的需求，但我们不能一天到晚深刻，唯其有放松的时候，才能将深刻衬托得圣光闪烁。洛桑的表演以高超的模仿能力令人惊奇，他那一张嘴竟能发射出那么多乐器的音响，衍化出那么多优美复杂的旋律；他又能模仿出那么多的歌星、影星及戏曲里的做派；他的身材已经有点从壮发展到胖，但他舞动起来还是那么灵便有趣；博林将洛桑的各种模仿以相当自然的引渡串连在一起，自己起到了相声里捧哏的作用，看得出，他们师生两人表演时，不仅令观者快活，他们自己也快活。今年春天我有幸在一个表演场地直接目睹了他们的表演，所有的观者都快活得大笑，掌声掀起阵阵快活的浪涛。

但是前天一早突然接到了苏利电话，这回她一反常态地向我们报告了一个悲伤的消息：洛桑不幸于10月2日晚在车祸中丧生。我们都希望这只是一个谣传。但事实是无情的。苏利是从北京电台的广播里听到这噩耗的。电台怎会轻率宣布一个人的死亡？今天更从报纸上看到了刊出的消息。洛桑才27岁便结束了他的"学艺"。想必对此最痛不欲生的是博林。洛桑的艺术实践刚刚走上成功之路，他本是前途无量的。一颗才放光的新星竟陡然殒落。

但是苏利和我们，相信还有更多的观众，不会忘记洛桑，这个自己那么快活，并给了我们那么多快活的藏族小伙子，他的灵魂是不会死的，他的快活是永恒的，我们记忆中的学艺的洛桑，以及那些渗入到我们生命中的快活，也是永恒的。

我不谙藏俗。我不知道在藏族的民间传说里有没有飞翔在天宇中的快活地鸣唱的仙鸟。但我出于最诚挚的感情，把洛桑想象成仙化在高高蓝天里的一只永不疲倦的快活鸟。在我们平凡的人生途程中，给予我们快活的人和事是至为宝贵的。也许，在对洛桑化为快活鸟的想象中，我至少可以比原来稍微深刻了一点。

1995.10.8

父亲的咳嗽声

一位从大西北来北京上大学的小伙子，有一回来我家度周末，饭后我们坐在沙发上一起听音乐，我放送的是一盘西洋古典大提琴曲集。音箱中传出缕缕婉转柔美的乐音，茶几上小玻璃缸中的水蜡烛荧然闪动，我发现他眼睛里渐渐透出了泪光。在乐声中，我们开始了一场令双方难忘的交谈。

我问他，这音乐为什么让你感动？他说，不懂音乐；尤其不懂这种古典音乐；听大提琴专辑更是头一回；但是，不知为什么，听到这样的旋律，忽然想起了一些以往并不曾有意存放在心里的东西……

我问那是什么东西？

他说，比如说，父亲的咳嗽声……

我心里一动。问：在乐音里，怎么无端地想到了咳嗽声？咳嗽，应属于非乐音的一种噪声啊！

他说，是的，咳嗽不仅是噪音，而且是病态的音响……

然而，他就是忽然想到了咳嗽声，父亲的咳嗽声。他对我说，他父亲是个老矿工，四十五岁前一直在井下作业，四十五岁后成为了偶尔下下井的统计员，现在也还不到法定的退休年龄，却被动员提前退休了。他从小就听惯了父亲的咳嗽声，在高考复习期间，父亲并帮不上他的忙，一切生活上的照应，也都出自母亲，父亲往往只是坐在一旁，手里用捆扎包装箱的废带子，编扎着造型拙朴的手提篮，眼睛，时不时地朝温习功课的他望上一眼，偶尔父子目光相遇，双方便都赶紧移开，而这时父亲必然会咳嗽几声……

我说，你父亲一定有职业病吧？那是不是叫"矽肺"？

他说，矿上很注意防治"矽肺"，但像他父亲这样的老矿工，即便还不足以戴上"矽肺患者"的帽子，但那肺叶里气管里，总还是比常人多些个除不掉的粉尘……不过，他说，在他复习期间，父亲在他旁边的那些咳嗽声，却不一定都是呼吸道里的粉尘作怪……常常是，忙进忙出的母亲会过来嗔怪父亲："你怎么回事儿？咯咯咯地在这儿闹人！你不知道人家现在不能分心？去去去！钓鱼去！找你的老哥儿们杀棋去！……"父亲有时只好放下没编完的篮子，快快地踱出去了……然而往往是，他在解题的过程中，忽又瞥见父亲一旁的身影，父亲注视他的目光便倏地闪开，同时是一串咳嗽的声音……

他说，整个报考大学的全过程里，母亲说过许多暖他心窝也令他焦虑的鼓励与期盼交织的话语，父亲却几乎从未正面接触过这一话题……他确曾在私下腹诽过父亲的木讷与低智……他一度对父亲的咳嗽声心生烦厌……

音箱里的大提琴声韵浑厚而又幽婉……他沉默了好一阵，才接着说，他终于如愿以偿地接到了来自北京的录取通知书，上火车的那天，父母在火车开动前，一直守在车窗前，母亲有道不完的叮嘱……忽然，父亲挤到母亲前面，从胸兜中，掏出一个纸包来，递到他的手中；他听见母亲说："该给的我都给了！这是你攒了好久的买鱼竿的钱，你就留下谁能怨你？你这人真是！倒好像是当妈的小气了似的！……"说时火车已经开动，他打开纸包，父亲那浓厚的体臭袭入他的鼻腔，他鼻子一酸，抬头要看父亲，却已难见面影，不过，他分明听见了父亲极其畅快的一阵咳嗽声！……

听到这里，我仿佛也听到了他父亲那深情的咳嗽声，这沁入魂魄的咳嗽声，竟赛过了乐手超凡的演奏，或者说，那大提琴的优美旋律，与一位最最平凡的老矿工的心灵悸动，融为了一派人世间最可珍贵的天籁……

是的，我们往往会忽视人世间那些最不起眼、最不动听，却其实是至为宝贵的亲情显示，而一旦我们在人生的跋涉中念及那些已不在眼前也不在耳畔的至亲至爱的细微而纯朴的存在，心弦为之瑟瑟颤动时，我们才痛楚地意识到，不管我们有多么坚强，有多少庄严而神圣、沉重而严肃的东西作为了生命的支柱，可是我们依然还是需要一些温柔的东西，拙朴的东西，特别是来自亲人、朋友的往往是最琐屑的，甚至是默然的一份关爱！

　　他想到了父亲的咳嗽声……你也许想到了爷爷那任你小手抓扯的胡须……而我忽然想到了当年同宿舍学伴在夏日为我晾晒过的枕头，那天当我在外狂欢兴尽归寝时，枕头发散出了阳光那清新甜美的气息……

1997.5.28

把嘴张圆

很早就看到过挪威画家蒙克的名画《Thescream》的复制品，这画的题目有译为《呐喊》的，有译为《嚎叫》或《哭泣》的。虽然那外文确实包含着"尖叫"、"嚎哭"等复合含义，但作为一个中国观画者，我的意识里，"呐喊"与"哭泣"却是相距甚远的两个概念。我对这画最初的印象是画上那人张圆的嘴；因为他拼命地宣泄，所以那嘴其实已非正圆，而是扯成了一个似乎就要破裂的竖长歪扭的深洞。前几年我有机会到挪威奥斯陆蒙克博物馆里，仔细观赏了这幅画的原作。我久久地站立在这幅名画前，感受到一种莫名的震撼。蒙克出生于 1863 年，逝世于 1944 年，是欧洲美术史上表现主义的代表人物，而这幅画便是表现主义最著名的一座纪念碑。我不是美术史研究者，不具有专业性的鉴赏眼光，我只能是从自我的生命体验出发，通过这幅画所提供的视觉冲击力，达到我个人所独有的灵魂悸动。在我看来，画上那个用双手捧着倒葫芦形瘦脸的人，他究竟是在愤怒地呐喊，还是在悲怆地哭嚎，抑或是在狂放地尖叫，实在都并不重要；我只是被他那拼命张圆的嘴所刺激，而且是强刺激；倘若我能命名这幅画，那我一定把它称做《张圆的嘴》！回顾自己的生命历程，几乎不曾将自己的嘴如此这般地奋力张圆。我常提醒自己，应当温柔敦厚，以含蓄蕴藉为美；一定要保持高度理智，控制住情感，压抑住冲动；人前多微笑，自处宜隐忍，即使无惧于"祸从口出"，也还是要尽量地"张口不露齿"……蒙克的这幅"张圆的嘴"所体现的生命力的爆发，其文化内蕴离我所受的熏陶训导实在太远。我在奥斯陆蒙克博物馆里，也曾询问过陪我参观的挪威汉学家，他对蒙克的了解当然足以给我解疑，"蒙克这画，是不是反映出他对社会现实的极度不满？这呐喊或嚎哭者是否在发出革命的呼号？"他说：蒙克的从艺过程算不上坎坷，成名早，寿数高；虽然他在世的 80 年里有两次世界大战，世界上许多地方，比如中国，可谓多灾多难，但他的祖国挪威远不是那一阶段世上的多舛之地，他个人更并非是一个社会政治运动的积极介入者，因此，对这幅画固然可以"仁者见仁，智者见智"，革命者将其理解为对革命的呼唤也是一种理解角度，然而平心而论，蒙克艺术创作中所关注的并不是政治革命或社会运动，这幅作于 1893 年的画，那张圆的嘴，所表达的应主要是生命本体因困惑与艰辛所爆发出的大宣泄！听了挪威朋友的解说，我暗想，自己的生命本体也常陷于极度的困惑与憋闷，却不曾如此恣意地把嘴张圆。它所承载的文化，与养育我的文化之间，那衔接融通的可能性有多大？从那相通的管道上，我能获得多少营养？

我在奥斯陆蒙克博物馆购得一本大画册，封面上便是这幅画。回到中国我常常细赏这幅画，我注意到，画上的把嘴张圆者，是站在一座桥上，面朝观画者；因他那张圆的嘴里所发出的声响，桥下的河水仿佛都被感染得竖立了起来；然而，在画的左侧，蒙克有意画出了两个在桥上散步的男人的背影，意态却似乎十分地悠闲，竟对画上拼力将嘴张圆者不闻不问。我以为这是意味深长的。或者是那张圆的嘴里所发出的狂喊，虽天地同应，其音频却已超出了人耳所能直接感受的范畴？个体生命的处境与歌哭，与他人的生命轨迹、心理应答，时常会如此地两不相干么？要么，蒙克是想以此昭示我们，不要依赖他人的声援、祈盼他人的怜悯，我们应冲决艰难险阻，历经痛苦磨炼，奋力张圆灵魂的嘴巴，在追求真、善、美的狂放宣泄中，得到救赎与升华！

1996.12.9

风雪夜归缘

　　去年初秋，中学同学聚会，当年的班长忽然当着同窗们问我："你知道当年，你为什么没考上好大学吗？"对此事我早不以为意，答曰："当然知道！政审没通过呗！受家庭影响呗！起初属于写明'不宜录取'之列，后来因为师范院校招不满，他们从政审未过关而考分高的考生中再拾回了一些，方通知我到师专报到……"谁知她却爆出个大冷门："你还一直蒙在鼓里呢！你家庭的问题倒在其次！是你自己有'言论问题'！……"原来，是"反右"刚起来不久，有一天我和几个同学在教室里吃饭——当时家远的同学都从家中带饭盒，学校给蒸热后，取回来吃——我跟班上功课最拔尖的一位女生坐在一处，边吃边聊；因为我家离北京人民艺术剧院演出的首都剧场很近，所以那时候人艺演的每一出戏，我几乎都看；那天我说起了《风雪夜归人》，连赞"好看"；当时才 15 岁的我，并不知道该剧的作者吴祖光先生已"出了问题"，并且在另有同学指出吴祖光已划为"右派"时，据说我还质疑说："不会吧！他不是还在《人民日报》上发表文章，反对演《杀子报》这样的鬼戏吗？"结果，不但我的言论被汇报了上去，那位其实并没有呼应我的女同学，也被判定为"面对错误言论不能奋起反对，立场严重不稳"，这些指控记录在案后，竟影响了我们一生的命运走向；我师专毕业后当了中学教师，虽非原有志向，结果却并不算坏；那高考时考分极高的女同学，却因为本是团员，其"立场严重不稳"被视为难以饶恕，便连师范院校亦拒之门外；后来多亏她以惊人毅力勇渡厄波，历尽艰辛，又遇上了时代的进步，才也有了今天的新局面……

这次的同窗聚会后，回想往事，品味今朝，真是感慨系之！

我自80年代步入文坛后，在许多的文化界活动中，得以与吴祖光先生谋面；近几年来，更有所来往；吴先生一生交往多多，在他的人际关系中，我不过是细细小小的一线；从我这方面来说，虽每次接触，都觉能从吴先生处有所获益，却也不曾想到，其实我们之间，还有如此一段因《风雪夜归人》所纠结成的怪缘！如果说吴先生当年被打成"右派"是冤屈，那么，十几岁的中学生，仅仅因为说了吴先生的戏演来好看，甚至于仅仅是在午餐闲聊时未对"好看"说加以驳斥，便在高考中被排拒，从而经受人生的坎坷，这该是怎样古怪的株连呢！

往事如烟飘散，我们都应重在前瞻，但历史的教训不可遗忘，命运的诡谲实堪喟叹！设若那天中午我们没提起那出戏的话题，未被人就此暗算，我和那女同窗的命运轨迹，又该是怎样的呢？

吴先生有一回这样地评价我："我觉得刘心武是一个纯粹的作家！"我听了非常感动。有这句话，我们的缘分，便更坚实了。

1996 春绿叶居

救心电话

曾读过一篇小小说，讲一个对生活绝望的人正准备自杀，可是屋里的电话铃突然响了；他之所以厌世，是因为觉得所有的人都抛弃了他，没人理他，连那电话铃很久都没响了，而他也无可通话之人，电话铃猛响，他本能地抓起了话筒，里面传来一种急迫的声音，似乎是一位母亲在焦急地打探寻觅自家赌气出走的女儿。这是一个打错了的电话，他告诉对方"你错了"，可是撂下电话，一阵发呆后，他不再自杀。从那个打错的电话里，传递出了虽然与他无关，却分明是人生中最宝贵的一种情愫，使他憬悟：这个世界还有亲情关爱跃动着，还有值得留恋的东西……他不应割断与这个世界的联系，至少他应抓住这个电话递来的一根稻草，继续去寻觅温暖与善意，那是他有可能得到的……

这篇小小说里所写到的救心电话，出自偶然，颇为神秘。其实，在我们的生活中，当我们遇到坎坷挫折，用俗话说，就是背时运、倒大霉，甚至所谓"倒血霉"的时候，我们是有希望接到哪怕是一个这种救心电话的。不知道别人在失败的人生际遇中有过怎样的体验，就我个人而言，在跌倒了而尚未及爬起来，处境狼狈、尴尬不堪时，至亲挚友的关心照应、指迷勖勉固然珍贵，而那在自己春风得意马蹄疾时并不来热络，甚至于自己也将其淡忘的旧相识，却主动在自己人生中的艰难时刻拨来一个电话，表达了一份朴素的挂念与鼓励时，自己心中所被激活的健康情绪，顿时旺盛强韧起来，那份惊喜感激，真是难以形容！

最近，原《北京晚报》副总编辑顾行先生不幸去世了，终年六十九岁。1959 年，我还是一个中学生时，便给《北京晚报》副刊投寄小稿子，到 1966 年"文革"爆发前，大约发表过五十来篇。我在那期间作为业余作者参加过《北京晚报》副刊召开的座谈会，那时顾行先生大约才三十多岁，我们算是认识，但并没什么来往。"文革"中，因为他编发过邓拓的《燕山夜话》，遭到非人的摧残，听说被迫几次自杀，均未成。"文革"后他获平反，我们在文化界的活动中邂逅，这才有了些来往。他历经大劫后那种超然于荣辱浮沉炎凉生死的精神状态，给了我很深的印象。然而我一度相当地"忙"，竟未珍惜这一能给予我诸多养益的人际关系，虽然他给我留下过他家的电话号码，我却"没工夫"拨去哪怕是一次电话。但是当十年前我摔了个大筋斗时，他在获悉有关我的这一信息的 3 分钟以后，立刻拨来了电话，短短几句话，不啻救心丹丸！当时他因严重的心脏病正住在安贞医院，他是从病床上爬起来，离开病房，走过好长一段走廊，到公用电话那儿给我拨的电话。这是一个我一生受用不尽的电话。顾行先生啊，我该怎样向您的在天之灵，颂念这人生中的宝贵馈赠？

纵使我们有足够的自信自强与自救自赎的能力，我们也许还是需要在关键时刻接到一个始料未及的救心电话。同时，我们应当自问：什么时候，我们也给他人拨一个这样的电话？如果此前未曾有过，那么，头一个这样的电话，将在何时，拨给何人？

1997.3.10 绿叶居

阳台上的蝴蝶

电视里正放映着一部新加坡连续剧。我们都没有认真地看。我在为打印机安装新墨盒，妻则是来往于厨房与阳台之间，把洗衣机甩干的衣物拿去挂晾……

荧屏上出现了一个大特写，大概是那剧中的女一号，不知情节发展到哪儿，她为什么要珠泪涟涟。

妻路过，看了一眼，道："咦，这不是 ××× 吗？"她说的是一位我国当今算不上"大腕"可也小有名气的女演员的名字。我瞥了一眼，马上驳斥她说："怎么会？根本不可能！"

这是我家经常出现的情况。妻总是会对着荧屏上的某一形象说："是 ××× 吧？"其实根本不是，不可能是，没有道理是；她有时候干脆挑明："这人"（指荧屏上的某形象）让我想起一个人来……也就是，她明知"不是"，可还是要让自己产生出"不是也是"的联想。我呢，常常地，极认真，或者简直是极冷酷地扫她的兴；有时我根本也不看荧屏，只是头头是道地分析，比如说："××× 根本不可能去新加坡电视剧里演一角！这又不是一部中新合拍的电视剧！她也没有移民新加坡！再说，人家就是特邀，也邀不到她！……"当然往往是"真理在我这一边"，可惹得妻很生气。有一回她就说："你行！你总对！可你这样又有什么意思！"我平心静气一想，可也是，我掌握这种"真理"究竟有多大的意义与乐趣呢？特别是，妻明知"不是"，而联想起我们都认识的某一生活中的真实人物，娓娓道出她的一些感慨时，她那"不是也是"

的兴致，不是比我那"不是就不是"的生硬宣布，有价值得多吗？

后来我悟出，妻的这种思维方式，是典型的女性直觉思维。而我，因为是一个正常的男人，所以我的思维方式，也便往往都是典型的男性的理性思维。

直觉思维，惯于从一个形象、事件、细节，叠印、引发、延伸到另一个乃至多个形象、事件、细节；伴随着这种思维的，往往是丰富的情感，或产生出细腻入微的关爱，或派生出难以抑制的厌恶。

理性思维，则惯于从经验中而不是从所面对的具体形态中引导出结论来；伴随着这种思维的，往往是超情感的冷静（乃至冷酷）判断，或产生出具体而微的应变措施，或大而化之一笑了之。

仔细想来，我和妻一起生活中的种种矛盾，在很多情况下，都是由于两性间这种不同的心理定式，也就是思维差异而撞击出来的，甚至弄得大吵大闹（我吵闹得最凶），闹完冷下来一想，有时连具体起因都想不起来了。

自从意识到我们既为两性，各有其思维习惯，而且改不了也不必改那习惯，不如互相理解、尊重，乃至互补互济，这以后，我们的相处，便和谐多了。比如我们一起出游，她对人对事的直觉，往往被事态的发展，证实为相当地准确。她在坦诚善意地待人接物时，也以她的敏感，使我们多次掌握好了与人交往的"度"，有助于主客尽欢。而我的理性逻辑推导，也往往有助于预防不测，避免麻烦。

有一天，我家阳台上忽然飞来了一只硕大的蝴蝶，那花纹艳丽的蝴蝶竟落在围栏上，翕动着双翼，良久未飞……

妻先发现了那只蝴蝶，惊喜地叫我去看："快来啊！看呀！它多美！……"

我到阳台一瞥，脑子里马上飞出一串"？"来：城市里怎么会有这玩意儿？它是怎么飞到这么高的阳台上的？这是什么季节？这也许不是蝴蝶，而是一只大蛾子吧？别看它的羽翅那么艳丽，它的磷粉可是有毒的吧？它停在阳台护栏那儿干什么？我家阳台有什么吸引着它？……

我不由得做出一个要找东西捕捉它的动作。这动作立即被妻发觉了，她迅即瞥视我一眼，啊，这一眼如同利箭般，把我的心射穿了！

　　一瞬间，我从妻的眼里读出了太多的东西：它多美啊！让它停留吧！不要打搅它！啊，它真太美了！……

　　在这一瞬间，我心中的"多余理性"被粉碎了。我感受到了女性直觉的美感。我更爱我妻子。蝴蝶离开了阳台，然而永落于我的心中，并总是在必要时，便翕动着那搔心的双翼。

1996.4.8

电话机旁的纸片

　　家里安上电话机以后，我循例在电话机旁准备了一个小本本，上面开列出备用的电话号码，小本本后面几页是空白，以备续录，我不是一个社交多么广泛的人物，但很快地，小本本上便不仅没有了空白页，连原来整齐的行列间，也出现了许多匆促甚至歪斜的补充号码。这当然都不算稀奇。想来几乎每一个有电话的家庭都有类似的情况。

　　但我在原有的小本本被涂写得密密麻麻之后，却不再更新或增加新的电话号码本，而是用一些大小长短不同的纸片，来记录备用的电话号码，也不光是我记，家里其他人也记，又都并不认真地列行排齐，有时斜着，有时反着，有的竟相互重叠，经常地，谁想查一个要用的号码，查半天查不到，终于查到，却又模糊不清，甚至与别的号码纠缠，于是抱怨、发火……但那些不伦不类的纸片也还是都留了下来，而且，每过一些时间，那纸片的数目便有所增加。

　　前些天一位朋友来我家做客，闲聊一阵后，他要用电话，并且想从我的记录中寻出一个我们共同的熟人家中的电话号码，我让他自己检索，他便打开我那小本本，正惊叹里面何以夹着那么多小纸片，忽然窗外刮入一股风来，顿时将那些纸片吹得满室飞舞，活像穿翔着的白鸽，煞是好看！他一边帮我捡拾着那些纸片一边呵呵地讥笑我说："怎么连再置备个小本本都舍不得！真是抠门儿大仙（北京人对吝啬鬼的恶谥）！"

　　朋友走后，我心想，也真是该清理一下这些纸片了——将有保留价值的号码誊录在新本本上，然后将它们尽悉撕碎扔进垃圾桶！当晚，我便来进行这桩工作。谁知，翻动着这些纸片，我手软了。

　　这些大小长短厚薄粗细不一的纸片，实际上，已经成为了我生活的年轮。对，这张，本是一个信封，是从它的背面开始记录头一个号码的——回想当时，实在来不及翻开小本，何况下意识里也知道小本本已满……那封信还并没有读完，却来了一个电话，告知一桩于我极其重要的事情，并嘱我立刻与某电话处联系……我们的个体生命，便往往在这样的社会网络中，焦灼、疑虑、沉重、承担……

　　这张纸片原是包茶叶的，甚至于现在它仍散发出茶叶的淡香……用粗笔记下的那个号码，有一段时间我经常使用……虽然这个号码现在已经作废，可是，在那段岁月里，这个号码那边所传来的声音，给过我多少心灵的慰藉！……

　　还有这张，厚厚的，是张未中奖的"有奖贺年明信片"，上面有儿子记下的两个号码，写在最边缘，小小的，仿佛想躲藏起来似的……我注意到，每次他拨这两个号码，总要把电话机端进他自己那间屋子，但那从客厅一直拖进他那房间的长长电话线，却总是昭示着他有隐私……我已进入青春期的儿子啊！岁月是多么神秘，它竟能把你，一个原本是我一只胳膊便能抱于怀中的乳臭浓酽的懵懂小儿，塑造成一个有其独立内心世界的小伙！

　　……这个号码，医院的，给我带来过悲思，那前些年还分明是活泼泼的生命，怎么竟会忽然僵硬硬地挺在那里？人生，真的到头来都会走到这一步么？……可是，这个号码，却又让我想起，这世界上分明存在着热闹场，从这号码的机子那边，倾泻过来多少询问乃至质问、牢骚乃至愤懑啊！仅仅是因为，为什么这回没有"安排"他？他一再向我"问路于盲"：谁给使的坏？谁当中传的话？……直逼得我语塞无奈，只好不欢而挂断。这些号码所引出的回忆，反差是多么大啊！

　　……这个号码，引出几许温馨，那个号码，令人摇头，还有这个，什么时候再拨一下，也许，该会是另一种声气了？那边，记下来还画了几个横道的号码呢？当时为什么认为它那样重要？现在不禁嘴角微弯……

　　到头来我没有销毁所有的纸片。我甚至认为将它们改抄在新的本本上也是多余的，因为在这些纸片上，保留着我生命中最本原的情绪与情境轨迹。

　　像保留 CD 盘一样地保留这些电话机旁的纸片吧，翻阅这些斑驳陆离的纸片，也便是重温人生的复杂况味啊！

1995.9.4

视野分流

十几二十年前，我每发表一篇作品，亲友以及老同学、老同事、老邻居们差不多总是全都知道，因为那时的报纸副刊、文学杂志和出版文学创作的机构所出的书，种类与总数都不甚多，覆盖面却极大，因此发表出的东西，不大可能脱出他们的视野。

但是现在情况是大大地不一样了。人们的视野分流了。于是便遇到了下面的种种情况：

我的一位父辈的亲友，有一次见面时很严肃地说："你怎么不写小说，光写小随笔了？还是要在小说创作上多下工夫才好啊！"我竟一时不知从何辩起。这位老人家曾在十几年前的大报副刊上读过我所发表的几乎占据一整版的小说，印象极深。他却不知，现在这样安排小说的报纸已极少，尤其是他所订阅的那份报纸，久已不再这样做。其实近几年就我小说创作而言，在发表数量上并不比十几年前少，甚或还多，《风过耳》、《四牌楼》、《栖凤楼》等长篇都是近5年内的作品，这5年内，中篇小说也发了好多个，其中《小墩子》还拍成电视连续剧播出，短篇小说也一直在写在发，近几年每年还都有小说集出版……虽然也许都不成功，但责备我不写小说，光给"报屁股"写"豆腐块"，却实在冤枉。

还有一位十几年前关心过我的创作的朋友，这些年他已无时间阅读文学作品，但对我的关注犹存。有一天他打来一个电话，说是在火车上偶然从旁人带去的报纸上读到了我一篇写猫的文章，质问道："你怎么回事儿？写起阿猫阿狗来了？简直令人失望之极！……"甚至责我"堕落"。且不论猫狗是否可写，及写了猫狗是否即堕落，事实是，我这些年所发表的文字，写风花雪月、花鸟虫鱼、猫狗休闲的文字，在总比例中实在占不到百分之一，而触及时利时弊，涉及社会人生人性与终极关怀的文字，或许水平不高，却实在甚多。有的，如呼吁"扶富"、"富心"，提出"既要'扫黄'也要'扫暴'"，在一定范围内都还引出了一些良性的回应。像我不久前发表在《上海文学》最近由《小说选刊》转载的中篇小说《护城河边的灰姑娘》，便保持着我一贯的社会性关注，题材可以说是尖锐的，立意更是严肃的，属于"沉甸甸"的作品。可是现在即使是老朋友他也视野分流了，他不看也不知道我的这些新作品，他就偶然看到了一篇我写猫的随笔，他不喜欢——这当然由他——于是便责我"净写这些个干什么？！"我只好细细解释。但这位是问上门来的熟人，尚有解释的机会；那些像他一样只偶尔看到我一篇写小题材的小随笔，并立刻反感误会起来的陌生人，我可怎么与他们沟通呢？

更有甚者，一位多年不遇的老同学，在邂逅时拉着我的手鼓励说："你那《钟鼓楼》写得多好啊！怎么不继续写下去啦？改行干什么去啦？"原来他近10年来不再读任何小说，他所订阅的两份报纸上也没我的文章和消息，所以真诚地如此鼓励我。于是便告诉他我在1993年已出了八卷本的文集。他大吃一惊。

我还存在，还在写小说，还在写篇幅颇长并且题材也颇重大的小说，但是创作路数也多样化了，从长篇、中篇、短篇到小小说都写，并且还写随笔、散文、杂文、评论，还搞点"红学"研究，偶尔也写些轻松小巧乃至于谈猫说狗的文字……我的文学花园里，乔木、灌木和小花小草都栽种！当然，我的花园已然边缘化，绝不是观赏者的"必经之园"了，这很好，我不愿也没资格处于"舞台追光"之中，更适应这视野分流的世道，默默耕耘，只要有一部分目光给以理解，以鼓励，以指正，也就足慰我心了！

当然，也应提醒自己：尽量展拓视野，却万不可以为自己能够"一览无余"；切不可偶尔扫到了一点别人的情况，便以豆代田，妄作结论！

1997.4.22

我为什么不……

一位老同学遇到我，热辣辣地问："你为什么不写电视剧？人家一集挣一万哩！……"

一位以前读点小说，近10来年远离文学的熟人拍着我肩膀问："你为什么不炒股？你一本长篇才拿多少钱？……"

一位现在仍然订阅文学刊物的老同事，望着我微微摇头，问："你为什么还是在呼唤着什么的呢？这太古典嘛！我看人家现在讲究的是无善无恶……"

还有一位同辈人这样问我："你为什么还不停止给'报屁股'写东西呢？是不是为了多挣那点儿稿费？……"

我经常面对这一类绝对善意，并且确确实实是为我着想的劝告式询问。

往往是，没等我作出答复，他们便想当然地替我答了：

"哎呀呀，你还不是放不下架子嘛！"

"你的思维还是进入不了市场经济啊！"

"你肯定是对新潮的东西有看法，不能适应了！"

"你怕是耐不得寂寞啊！"

这些猜测式的"拟答"都是错误的。

我对电影、电视剧本的创作从来是尊重的。我从不认为小说什么的就一定在"架上"而影视剧本是在"架下"。我也从不惧怕"触电"。我只是喜欢写小说什么的，而体现这一爱好的机会实在已经太多。比如一个人爱吃苹果，而且有很多机会吃上

苹果，却不大喜欢经常吃芒果，就不必跟他强调"芒果可是果中之王啊"，非问他个
"为什么不多吃？"我对"下海"或"业余炒股"等行为，只要是法律允许的，也从
来没有过鄙夷，我的至亲好友里不乏商人与股民，我很愿听他们讲述个中甘苦，甚
至于也动过心，比如说无妨开个书屋，或者到交易所实战体验一番，只是因为到头
来像以往一样地每天写写文章，便感到生活得很充实，情绪上很欢愉，所以便"姑
且放下"罢了。至于我的写作，自认为是"移步而不换魂"，"魂"便是宏扬人道情怀，
向往善境，这确实古典，但总不能所有的作家都去"非古典"、"反古典"嘛。一些
新锐作家推动新潮，我为他们高兴，我觉得我们完全可以并存，而且我的"古典情怀"
只占文学花园一小角，也是"老景观"之一种嘛。如果连我这样的作家也都通通成
了与新锐作家一个模子的"弄潮儿"，恐怕文坛的总景观也未必是花团锦簇的吧！再
说到为报纸副刊写文章，我之不守"寂寞"而"凑热闹"，因为各人有各人的文学道路。
我的文学投稿，是从给"报屁股"写"豆腐块"开始的，经历了很长时间，才由短
篇而中篇，而长篇，因此我至今"不忘本"；当年北京"东来顺"由一个小面摊发展
成堂皇的大铺面后，还坚持在大铺面门侧摆摊卖最便宜的汤面，我以为是不可用"连
那么点小利都不放弃"或"掉份儿"来讥笑那掌柜的，那是他的一段心意，我以为
是美好的心意。

　　在一个多元文化的格局中，为坚持自己的文化信仰、美学追求，是必须有所不
为的；对他人的文化想象与文化操作方式，宜从"他何以不那样而偏这样"的角度来
加以考察、评议，而不宜从"你为什么不如何如何"的角度发问。文化、文学上的
站位如此，社会生活中的站位亦如此。

1997.4.23

江湖夜雨十年灯

这是一觉醒来，脑中残存的句子。挺有诗味儿的。是否曾读过的古诗潴留在了意识的深层？但醒后翻查了手边的一些资料，都没能核实这是哪位古人的古句，那么，便只好坦然地将其"版权"归于自己了。

醒后反刍这梦中诗呓，不禁先自我批判：毋乃欠光明灿烂乎？却又自释：倒也并非阴暗悲观啊！

"江湖"似乎不是一个"好词儿"，"江湖人物"常等同于"不正经的人物"；"江湖气"更不是什么好气息。不过，"闯江湖"一说，倒不怎么为人诟病，记得吴祖光先生便有以此为名的话剧，后来还改编为电影，是写一群唱评剧的演员们的悲欢离合的。其实严格来说，"江湖"是用以区别"庙堂"、"官场"等范畴的，"人在江湖"，并不一定是走向了堕落，"江湖"自然有藏污纳垢的一面，但"自古江湖多豪气"，"江湖"中自有侠肝义胆的人物在焉。我这些年来，卸职无位，赋闲在家，但待遇仍在，创作自由，离"坛"、"场"虽远了，却也不应、不能、不敢自称涉足了"江湖"，但梦中浮句，却"江湖"赫然打头，这是怎么回事儿？想来，是我这些年来，毕竟接触了几许堪称"江湖人物"的角色吧？自己的心灵，很被这些原来闻所未闻，或闻而不信，或信而不解的真实存在所震撼。

"夜雨"应是一个优美的语汇。"夜雨剪春韭"，"巴山夜雨涨秋池"……这些天北京多雨，虽然南方某些省份已暴雨成灾，但北京地区却长时偏旱，只要不再过分地倾泻，这夜雨之声，还是很能给人以一份慰藉、一份欣喜的。因为常在夜里写作，夏夜窗外雨声淅沥，胜似仙乐妙谛，很助我文思。入睡后仍夜雨润心，实属佳兆。

"十年灯"，十年原觉是一个十分漫长的概念，曹雪芹于悼红轩中"披阅十载，增删五次"，曾使我们感到一种长沥心血的痛楚。然而现代社会的十年真所谓不过"弹指一挥间"，一个作家蹉跎十年二十年的例子实在太多；而在并无其他因素作祟的情况下，仅仅是"征订数不够"这一条，便使得若干作家、学人甚至是不止披阅了十载的著述难以付梓流布，在如今也还是平常的故事；这样想来，自己虽十年来在书桌的台灯下如蚕吐丝般地消耗着储备有限的生命，所撰倒也还大体都能得见天日，能不自谓拙人自有拙福乎？

倘以"江湖夜雨十年灯"为"上联"，那"下联"于我，该是怎样的呢？看来只能再等巧梦了！

1996.7.16

附记：此文发表后，报上相继出现尖锐的批评，指出"江湖夜雨十年灯"是宋代诗人黄庭坚的诗句，我不应不知；既不知，又不耐心查阅有关资料，竟"梦窃"古人诗句，且"坦然地将其'版权'归于自己"，闹出一个大笑话，又，这个以平声收尾的句子，只能当成"下联"，怎能拿来当"上联"？虽然我这不是谈诗的文章，亦非真要"对对子"，可如此轻率下笔，实不应该。现谨借此书出版之机向所有善意批评者致谢！并盼大家继续给我以及时的指教！为给自己留一个教训，此文收入时未作修改。

承接尖刻

也许有些例外，但我以为，绝大多数人的天性里，都有尖刻存在。

尖刻当然也常常体现在行为中，行为上的尖刻也称做刻薄、刻毒。《红楼梦》的王熙凤有一回就公开宣称："我从今以后倒要干几样刻毒的事了……"其实她在那以前已干了不少刻毒的事。但尖刻一般来说是一种话语行为，也就是说，是嘴里道出来的；移到纸上，写成文章，被尖刻者不是用耳而是用眼承接，同样入心进髓，是很受刺激的。

《红楼梦》里，比嘴上的尖刻，林黛玉、晴雯、王熙凤都有希望"夺魁"，或并列冠军。但薛宝钗、花袭人等"温柔敦厚"型的人物，亦有时出言极为尖刻。就是被视为"槁木死灰"的李纨，有一回也"敢摸老虎屁股"，把王熙凤着实地尖刻了一番，说王熙凤"无赖泥腿市侩专会打细算盘分斤拨两"，"下作贫嘴恶舌"，甚至于说王熙凤"给平儿拾鞋也不要，你们两个只该换一个过子才是"，啊呀呀，这哪里是什么"槁木死灰"，分明是敲人的棒槌烫人的爆炭！

连李纨这样的人有时都不免尖刻，可见尖刻的话语，在人们的日常生活里，乃是一种常态的存在。只不过，别人对自己尖刻，往往因刺耳锥心，我们便难以忘怀，而自己那有意无意地对别人尖刻，却又往往事过便忘，即使后来被提及，也满无所谓——"不过是有些个尖刻罢咧！"

林黛玉对贾宝玉的尖刻，是爱情的表达方式。这种方式纵使令宝玉已然不仅习惯，并且理解，但每回那尖刻的话语乍入耳穿心时，毕竟还是不免难受，或冤情似海，或尴尬万分，或简直不知何以相对，只能咬牙、出汗、发呆。

在当今的人际关系中，即使是表达深挚的爱情或真切的友情，像林妹妹那么样频繁地以尖刻替代亲吻或握手，恐怕多半是行不通的了。

尖刻有时是对敌斗争的一种方式。比如当年姚文元写《评"三家村"》、《评陶铸的两本书》等大批判"檄文"，其中就有若干非常尖刻的句子。在那种情况下，被尖刻者不仅绝无反尖刻的权力，也毫无解释、申辩的可能，只能是"缚手被尖刻"。那是定了死罪又被凌辱。

有一位当年被打成"右派"的朋友告诉我，当年遭批斗，许多人接二连三地发言，都"上纲"极高，充斥着"火药味"，彼时听来自然都极难受，但时过境迁，当他获得平反后，那些只是激昂、粗暴乃至粗鄙的"说辞"，他倒都不大记得，对操那些"说辞"的人也不怎么记恨了，唯独一个其实从政治上来说，那批判也未必"击中要害"的发言者，他永难原谅；为什么呢？就在于那人的"说辞"极尽尖酸刻薄之能事，并颇有几句尖刻的"妙语"一时传诵甚广，使他的自尊心上，永留难愈的疮疤，因此纵使别人，乃至那尖刻者把这事都淡忘了，他却永不释怀，今生今世，那私仇，是打上死结儿难以解开了。

我听了这位朋友的一席谈，得出一条结论：当"对立面"不能回嘴时，纵使你忍不住要抨击他，在使用的"说辞"中却无论如何不要对他尖刻。

如今的中国，民间话语空间大大地得到展拓。拿文学批评来说，退回20年，无论说好或说坏，或"两说着"，大体而言，都是"有背景"的，只不过有的"背景"极大，有的只是"中背景"或"小背景"罢了；"自发批评"偶尔也有，却也大多是批评者揣摸"背景"、"气候"的产物。现在从量上说，"无背景"的批评，似乎已多过了"有背景"的批评，而且在这种自发的民间批评里，也出现了某些专以尖刻引人瞩目的批评。

我以为这是好事。

现在民间的众语喧哗里，出现一些尖刻的声气，是社会进步的一种回响。

面对这些尖刻的批评，被批评者完全可以反批评，并且也可以回之以尖刻。在批评与尖刻面前，人人平等。当然，都不能过度。不管是哪一方，倘那尖刻成为了明显的人身攻击、人格污辱，那就违反了"游戏规则"。

对人尖刻者，要作好被对方尖刻过来的心理准备。不能"只许我尖刻，不许你尖刻"；所谓"我尖刻是直率，你尖刻是小气"的想法，是不对头的。

被人尖刻者虽有反批评甚至尖刻过去的权利，但他也可以不使用这一权利。他可以沉默。非要他作出反应，是不合理的。他也可以现在不回应，过些时候觉得必要了，再回应。回应方式可旁敲，可侧击，更可涉笔成趣。

当然，大度的人，或许完全不在乎别人对自己尖刻。当年武则天披阅骆宾王草拟的针对她的"檄文"，读到"入门见嫉，蛾眉不肯让人；掩袖工谗，狐媚偏能惑主"的尖刻攻击时，竟不仅笑出了声来，还对骆的文才大为赞赏。在善待尖刻上，武则天倒是个老榜样。

我走上文坛以来，曾遭到过"有背景"的批评与批判，在短暂的一度中，也曾处于完全不能公开回嘴的境地。有一篇很严厉的批判文章，还曾密集地在两家"机关报"上刊出。当时我是很窝火的。但事到如今，除了我自己和少数亲友，竟很少有人记得这些个文章。我偶尔提起，引出的回应是："是吗？你不是一直挺顺的吗？"有的人还竟至认为我一直"高高在上"。这倒足令我欣慰。也说明当年那批我的"背景"业已没落到一般世人"忽略不计"的地步。

近年来，我开始招受来自民间的"无背景"批评，有的颇为尖刻。实话实说，刚开始时我颇难接受。但经过一番思考，我渐渐意识到：一、有的批评虽然尖刻，但于我严谨自己的创作很有益处，应当首先持欢迎的态度。二、即使尖刻得令我不快，但人家有尖刻的权利，我是何方神圣？难道对我尖刻便是"渎圣"么？我得承认：在多种多样的批评方式之中，纵使尖刻并非上乘的方式，也毕竟是一种可行的方式。三、我不是还有反批评，乃至于尖刻过去的权利么？我并不是处于上面提及的那种"无告"的状态中嘛！四、反思自己，在语涉他人创作及观点时，何尝没有尖刻之处？怎么自己被人尖刻就那么样地浑身难受，而自己已经尖刻地议及了人家，却浑然不觉，甚至还觉得自己那仅是直言不讳而已？

　　对我自己而言，我觉得今后与他人争论时，无妨尖锐，却尽量不要尖刻。

　　但我不对与我争论的人，或"无背景"的批评者，提出"勿尖刻"的期望。这个世界实在并不是为了我不被尖刻而存在的。甚至于，我必得承接尖刻。平心而论，时代、世道，总体而言都并不薄我，我从这个时代、世道中得到的机遇与好处，已经不少；人们对我从严从苛要求，是顺理成章之事，给予我一些个尖刻的批评，有何不可？况且即使是非常尖酸刻薄的批评，只要是来自民间，特别是来自基层，其中总会给我一些滋养、一些启示，都应视为良性的刺激，不能从心理上排拒。

　　民间有人对我尖刻，说明我仍被注视，被看重，没有在"江山代有才人出"、"长江后浪推前浪"的情势下被人淡忘、遗忘、忽略不计，这毋宁说是一种幸运，一种幸福。这样想来，有一天真是谁都懒得对我尖刻了，那才是最悲苦的事呢！

1997.3.29 绿叶居

资深美人

一次学术研讨会上，有不少女士出席，其中多是年轻的或刚至中年的女士，只有一位"奶奶"辈的女士，脊背已然微弯，脸上皱纹密布。因为那些年轻的或刚至中年的女士们风华正茂，且都极会装扮自己，风度翩翩，气质优雅，所以会上有的男士戏称她们是"美女云集"。有一回一位男士又在女士群中说起了"美女如云"，忽见"奶奶"在其身旁，便颇为尴尬，正不知如何"圆场"，"奶奶"却笑盈盈地说："你说的对啊！我也是美女嘛！我是资深美人！""奶奶"此语一出，全场欢笑。自那以后，与会的男士们，私下里纷纷议论：是啊！这位老前辈，真是越看越中看！那不仅是从其面容身影可以"依稀当年"，而且深感其永葆青春心态的一份潇洒与豁达！

那次的研讨会，我有幸参与，与"资深美人"多有接触，感想良多。

我现在不过五十五岁，按说还不能称老，然而心上却已时现皱纹。特别是有时与比我小上十几二十岁的青年人相处，又特别是他们呈"云集"状时，自己便总暗暗有"美人迟暮"之感。尤其是当他们恣肆展示其青春的气概，喷溢出咄咄逼人的聪明才智，而又有人从旁对之一咏三叹时，我便常常会有"过气"的哀伤感漾溢在心头。

现在意识到，我这种未真老而心先衰的心理状态，是应当尽快纠治的。而"资深美人"，便是我的榜样。在我们会间闲谈时，她对我说："在自然规律面前，应当心平气和。而且还应当懂得，事业上的成就，虽然弥老可以愈进，但毕竟更宽阔的天地和更深远的境界,是属于比自己年轻的那一代了。所以,无论如何不能因'人老珠黄'而消沉,不能嫉妒'当今丽姝',更不能像那初春堵在河口的大冰块,挡住通道不让小冰块们顺利地奔向大海!我现在确实以'资深美人'自居,一是为自己曾经美丽过而高兴,二是自信我依然可以美丽,特别是保持一个美丽的心灵,三是我既'资深',就得提醒自己胸襟更开阔,风度更坦荡,也就是说,要想着为当下的'美人'们,多做些开路的事……"

"资深美人"在研讨会上,每次走出她的住房与别人相处,总是打扮得洁净爽气,她头发虽已稀疏,却梳理得很是顺眼;脸上着淡妆,眉毛和嘴唇都有恰切的处理;衣衫质地讲究而色彩雅靓;手里总揑着个造型独特的真皮随身包;举手投足,更大方之中透着尺度得宜——在美的追求上,真是名副其实地经验丰富。尤为令人佩服的,是她在研讨会上的发言,立论严谨,言简意赅,而又文采斐然;并且她在给别人的提问中,以及为自己的论文答疑中,都言辞锋利,进退裕如,显示出其不以"资深"而远美质的可贵气魄。

我的资历,是会越来越深的吧,愿我至少就心灵而言,能成为一个"资深美人"!

1997.4.2

查阅旧报刊

一位年轻人，因为跟我有些个沾亲带故，所以偶来走动，但我们之间，越来越谈不拢。

他生于 1970 年，今年 3 月满二十七岁了。我比他差不多刚好大上一倍。开始接触时，我们双方都很愿沟通，也确实能有所沟通，但自从他养成了一个查阅旧报刊的习惯后，我们再沟通，便难了。

查阅旧报刊，当然是一桩有益的事。记得直到二十年前，除非是查阅私人藏有的旧报刊，如想到公家的机构去查，那是必须开具"单位证明"才可获准的。现在则方便多了。这位年轻的朋友，有一阵是查阅解放初几种重要的报纸与文艺刊物的合订本。有一天他来我处便感叹说："中国的知识分子群体，真是太堕落了！"他口中的"中国知识分子群体"，并不包括他自己及同龄人，而是泛指像我这么大年龄以上的知识分子，这个表述习惯，我是熟悉的。我便问他："怎么得出了这么个结论？"他便侃侃而谈。原来，他从旧报刊上发现，在当年"批判胡风反革命集团"的政治运动中，许多现在享有极高荣誉的作家、艺术家、学者、名流，当年都参与了批判，这在我本是不足为奇的事，在他，则极感震惊。我试图向他说明："当年的那场运动，来头不是一般的大……"他马上打断我说："知道知道，我读了好几本书，我知道那个背景；可那又有什么了不起？就值得写文章表态么？为什么不能沉默？为什么不能反对？"我说："也有个别人敢于反对，也有人沉默……"他又激越地打断我说："可整个群体是丑恶的！堕落的！"接着他便一口气点出了十几二十个名字,愤怒地宣称:"原来,看了他们现在写的一些文字,我还挺佩服,现在我才知道,都是些无耻之徒！"我说:"当年参与批胡风集团的人,恐怕每个人又有每个人的具体情况,你说的无耻之徒,恐怕是有的;但我想那个年代有那个年代的非常具体的情况,不置身在那种具体情况里,有时是很难理解的;其实我当年也才十多岁,但毕竟初通人事,从父兄身上,能感受到某种东西……那时新中国刚成立不久,知识分子群体大都感到气象一新,特别是中国不再受帝国主义欺侮了,确有挺直腰杆站立起来的自豪感,因而对共产党,对领袖,对他们的判断、决策,总是相信的,甚至服膺的,再加上许多知识分子对胡风等人本不了解,所以一旦给他们定了性,公布了'材料',又有人发动,便觉得表态不仅是必要的,也是有意义的。至于有些人,他们可能另有图谋、野心在内,或本与胡风有个人恩怨,有观点分歧,在那种情况下私心杂念与政治热情交织,从而积极投入批判,也是有的;不过你不能说整个知识分子群体都是这种人。你点出的这些人当中,有些人后来在'反右'时也被划为'右派',有的人在'文革'中也遭了罪……"他恨恨地说:"活该！"我一时无话。

　　稍停,我对他说:"光凭查阅旧报刊,排列出一串让你'想不到的名字',便这样作出判断与评价,未免是简单化了。其实,当年文化界对'胡风事件'负有重大责任的人,你在当年的旧报刊上,倒很可能看不出其责任之重大,你刚才愤愤然点到的那一串名字里,就并不包括他们,这样的人现在不是仍享受着很高的名誉与待遇么？其中还有人新出版了大厚本的自传呢,可是,其中却丝毫没有提及他本人直接参与胡风一案的泼天大事;倒是有一些当年并不负有什么直接责任的知识分子,在近些年发表的文章中,对当年也朝'胡风集团''扔砖头'公开表示了忏悔……"他听了却只是撇嘴:"用不着这么细分主从轻重！反正我觉得不过是五十步与百步之别！忏悔又怎么样！历史悲剧还不是发生过了！"我只好叹口气说:"正是为了历史悲剧不再发生,过来人的忏悔才弥足珍贵啊！而那做了错事不仅不忏悔,反倒标榜自己'一贯正确',道貌岸然,甚至继续整人的家伙的存在,便提醒着我们:悲剧再次发生,不是没有可能的啊！"他虽不再驳我这个话,却依然冷笑。

　　我心中暗暗着急，面对这谴责我们"当年你们为什么舍不得当烈士"的一代，该怎么样才能使他们理解，历史的结论并不是在历史的发展过程中就已经了然的，处在比如说"反胡风"那个历史阶段中的中国知识分子的大多数，他们所面临的并不是"这个运动明明不对，我是勇于抵制，还是违心屈从"的抉择，他们的心灵状况是极其复杂的，是仅从查阅的旧报刊上反映不出来的。虽然我在"胡风事件"时还是一个孩子，但是到"文革"时我已是一个青年，"文革"爆发时的具体情况与"胡风事件"、"反右运动"时已有所不同，中国知识分子的心灵状态，总体而言，已应另作分析，然而，我觉得有一点却也是后人应当理解的：就大多数中国知识分子而言，起码在"文革"的初期，他们所面临的也还不是一个"明知其非，是反抗，还是顺从"的简单抉择。要知道现在已然被我们否定的"无产阶级专政下继续革命的理论"，就其文本自身而言，是构成了一个自足的逻辑，并且颇有"魅力"的，离其越远，则越可能被其魅惑，当年欧洲的"红卫兵"运动，即是其"魅力"的衍生物。我敢说，我的这位年轻朋友倘早生二十年，他是不大可能因为后来的历史结论将"文革"判为了"浩劫"，便挺身而出，为抵制"浩劫"英勇捐躯的，他更大更大的可能性，是率先成为一个激昂的"红卫兵"。

　　有一天他再来，我便把上述的想法，向他和盘托出了。谁知他没有正面回答我关于他本身设若早生二十年会如何的问题，而是皱着眉说："咳，别提了！我查了旧报纸，那几位'文革'中遭镇压，后来平反了的人士……他们的那些个反抗性言论，质量太低了嘛！他们其实只不过在说，对大家公认的主义，应该这样理解，而不该那样理解……罢了！并没有提供出哲理上的什么真正创见，有时只不过是讲讲常识而已……"我说："你查旧报刊，不能孤立地查文章，你要从中感受那个历史阶段的整体气氛啊！那时候往往只能是用那样的方式表达抵制……那已经很不容易了啊！"他说："当然，我并不想否认他们的作用……可是，说实话，我查阅'文革'期间的报刊，有时候觉得那种激昂的革命理想氛围，挺不错嘛！比如我读了那时发表的'革命样板戏'的剧本，觉得就连其中的说明性文字，都是很讲究的……"跟着他便告诉我，最近刚看了两出复排的"革命现代戏"（他懂得现在不称"样板戏"，而且也恢复到了"文革"前夕的那种演法），觉得真是精彩！他说不明白我和一些比我老的知识分子何以对这种戏那么反感，他问："是不是你们被现在的商业社会弄得丢失了理想情怀？"面对着他这一问，我再次产生出"一部二十四史从何说起"的感慨。

这位年轻人很久没有来我家了。想必他查阅了更多的旧报刊。我颇想念他。我们之间谈不拢，也就是说有一条颇深的"代沟"。原因也许不止一条，但从跟他的矛盾中，我铭心刻骨地意识到了旧报刊那严重的局限性。其实又何尝是旧报刊，包括旧书籍、旧照片、旧电影等等，在还原历史上，都是有局限性的。唯有仍然存在的心灵中，或许还能沉淀、筛汰、扒剔出彼时间与彼空间中那鲜活的因而是复杂的真实，可是后一代人如何查阅这些心灵中对"旧事"的真实记忆呢？这位年轻人所说的"中国知识分子群体"的那些具有共性的"心灵记忆"，如何能投射、承继到他们年轻一代的心灵中，成为有益的滋养呢？尤其是，这种"心灵记忆"的环环相扣，是大多数老者与新者都看重并愿付诸实践的吗？不是盲目依赖旧报刊、旧文物，而是更看重"心灵的集体记忆"（它由丰富的"心灵个案"整合而成），这样来理解历史，是可能的吗？

而更令我慨叹的是，"今天"本身所提出的"斯芬克斯之谜"，似乎已经比"过去"所积压的课题更密集也更紧迫，因此，谁还有耐心去探究业已沉淀的"心灵记忆"呢？能有查阅旧报刊的雅兴，已属不易了！

我盼那年轻人再来。要不要给他打个电话或写封信？

1997.3.24 绿叶居

从今不怵这只杯

几年前，我的德国朋友福斯特给我带来了一只口杯，是从法兰克福机场商店里买来的，那是一种杯壁上绘有幽默字句的"趣语杯"。这种类瓷材料制作的厚壁带把杯，如今在中国商店货架上花色品种也已很多，不过杯壁上大多只绘有卡通人物或西洋风情，而没有"趣语"。我曾在若干西方国家的商店里看到过形形色色的"趣语杯"，有的"一分为二"，成为两个半月形杯口的双杯，当然，那"剖面"已然由竖直的杯壁封住了，两个杯子可以交错合拢摆放，杯把一左一右，一只杯上写着："唉，我只有半杯的心情！"另一只杯上写着："咦，谁偷走了那半杯？"还看到过一只胖若南瓜的杯子，杯壁上写的是"傻人有傻福"；有的杯子像比萨斜塔一样歪向一边，杯壁上写着"别让我垮掉"；有的杯子杯壁上鼓出一个"瘤子"，一个箭头指向它，注明："别慌！良性。"诸如此类，引人发噱，也折射出生存在商业竞争中的人们心中程度不等的焦虑。

福斯特送给我的那只口杯，杯壁上的德文有两行之多，写的是："想做的事总没动手做；不想做的事总在勉强做。"他把那意思翻译给我以后，我不大高兴，问他："为什么选这样的话送我？"他直率地说："这话说的不是你，是我！送给你，为了你能记住我！"福斯特当时正失业，临时帮旅行社带旅游团来中国，充当导游糊口。听了他的话，我一笑释然。

可是，我使用起这只杯子以后，开始还确实想起福斯特，后来，却不禁频频联想到自己，其实，我不也常常是"想做的事总没动手做；不想做的事总在勉强做"吗？特别是，那原因，还往往并不能推诿到客观上，说到底，还是我自己意志薄弱，不

能坚持"有所为，有所不为"的原则。有一次，我正打算静下心来开列构思已久的
长篇小说的人物表，电话铃响，是要我去参加一个"研讨会"，所研讨的课题非我
所长，亦非我所感兴趣的，因此试图婉拒，但对方一连串宣谕出了十多条我"非去
不可"的"道理"，如：开拓视野有利于创作；若干大名家都应允出席了，你不去岂
非架子太大？赞助者一向仰慕你，你跟这样的人建立关系意义很大；若干朋友可借
此聚会，何乐而不为？会上还能领到点"小礼品"和"车马费"，不无小补嘛！你
不去，是不是众人皆浊唯你独清了？……我还是说考虑考虑，但在那之后又有几个
电话，邀请者搬来的"面情"皆难抗拒，再不应允，实在要成为"六国反叛"了，
于是，那天只好去了；本来说好"听听，不发言"的，但按"齿序"排下来，轮到
我时，又不能不说，说，又只能敷衍成话，回送到自己耳内，很不是滋味，而一瞥
之中，又发现有并不熟悉的在座者，对我面露鄙夷的冷笑……会议拖得很长，会后
的饭局从冷盘到果盘更是悠悠历程，拖着疲惫的身心回到家中，想列长篇小说的人
物表，却已没了精力。这类本不想参与的事体，勉为其难地参与了，还常常会后患
无穷，如过两天忽见报上一角有报道，把我没说过的话或并不愿表达的意思，赫然
嵌于其中；我这人又最不能"见面便熟过后不忘"，也不善保存活动中别人赠与的
名片，所以往往是，又在某场合见到某人时，反应木讷，由此招人嫌厌……

　　有一段时间，我见了福斯特送我的杯子便发怵，因为我总是"明知故犯"，惭愧，
而又无勇气扭转。

　　可是近年来我终于鼓起勇气，履行"有所为，有所不为"的原则，我尽我应尽的义务，
承担我应尽的责任，但我有拒绝非我必尽的义务非我必担的责任的权利，我越来越勇
于对我不想接受的邀请、要求客气而明确地说"不"。同时，我也越来越不在乎他人的
眼光、议论与指脊梁骨，只要我觉得那话该说，那文章该写，那意思该表达，那事情
该做，我便直率地说，从容地写，痛快地表达，愉快地参与。如今我不怵那只口杯了。
那上面的两行"趣语"于我基本上不再具有讽刺意味。我拿它喝茶时会想起福斯特来：
这小子现在有份好职业了，可他会不会还要发出这杯壁上的慨叹来呢？

1997.8.2

从忧郁中升华

我喜欢听交响乐，但我缺乏这方面的专业知识，更不具备一双"专业耳朵"。我的一位好朋友，他的职业离音乐甚远，然而他业余爱好音乐，他就有一双听音乐的"专业耳朵"，比如在我家，我放 CD 盘，头几组音符一出，他便能娓娓道出，这是哪个乐团演奏，由谁指挥，这张盘的录音师是谁，在英国《企鹅唱片指南》上，评上了几个星花……而另一乐队另一指挥所演绎的该曲，明暗对比处理其实更加精心，听来会更丰腴滋润，等等。他的指导，总是使我受益匪浅。我常常根据他的建议，去选购新的唱盘。不过一般来说，凡我已经有了的曲目，都不拟重复购买；我还没有比较着欣赏同一曲目的不同版本的道行；唯一刻意重复搜罗过不同版本的曲子，是巴伯的《弦乐柔板》。巴伯 1981 年才谢世，这位在本世纪前卫艺术浪涛滚滚、代谢频仍的文化氛围中进行创作的美国作曲家，给我的印象，却乐风始终相当地古典。他的这首《弦乐柔板》其实算不得严格意义上的交响乐，原是他的《弦乐四重奏》中的慢板乐章，1936 年他将此章改编为了管弦乐，1938 年经托斯卡尼尼指挥演奏，立刻风靡。《弦乐柔板》全曲演奏下来，不过 9 分多钟，但我每回静心咀嚼这首乐曲，却总是忘记了时空，心中升腾着莫名的感悟。常常是，听完了这张盘上的该曲，再接着听另一张盘上的，或同一张盘上的连听两三次。于我来说，巴伯的《弦乐柔板》真是沐灵的甘泉。

这首《弦乐柔板》是缓慢、深沉而忧郁的。我常常陷于忧郁的情绪中。为什么忧郁？是因为不如意事常八九么？是因为感受到个体生存的寂寞与孤独么？是因为个体与他人之间通过碰撞、摩擦而达于沟通、理解、谅解、和谐的艰难么？是悚然于世事的白云苍狗与人性的诡谲莫测么？是人生苦短，而永恒难求么？……要承认，乐曲确从心底牵出了丝丝缕缕、纠结缠绕的这类私心杂念；但其实，最令人忧郁难解的，是忽然会意识到，生活的常态，是平平淡淡；人生从急风暴雨的动荡岁月解脱出来以后，置身于衣食无忧、和平稳定的建设环境中，所遇到的最大难题，往往并不是别的，而是如何克服平淡与枯燥。一位在设计院搞设计的年轻工程师告诉我，他每天的工作就是画工程设计图，以前在图板架子上用尺子什么的和笔来画，现在改成用电脑画，虽也会出现一时的新奇感和兴奋点，但总体而言是平淡、枯燥的。一位在我家附近的建筑工地上的抹灰工，也跟我说，他每天就是抹灰、抹灰……晚上回到工棚，打几把"拱猪"，也就睡觉。一位商人朋友也跟我说，他早就对豪宴、卡拉 OK、桑拿浴之类不能不"奉陪"的事情感到了无兴趣，但为谈生意计，又不能不一再地重复着这一套，欲罢不能。也许有的人从未感受到常态生活的平淡、枯燥一面，因而从未陷入过忧郁，但那样的人我还没有遇到过。我自己是常为人生的平淡与枯燥而忧郁的。怎样从这种忧郁中解脱？我以为听巴伯的《弦乐柔板》这类的曲子，边听边咀嚼人生的这苦涩况味，是一大妙法。当乐曲与心思融为一派澄明时，你便可以悟到，人生的功业，主要还不是靠狂恣的暴发而成就，其主体，应是默默地耕耘与韧性地尝试，其中会有大容量的落寞枯燥，乃至数量非少的失误与弯路；人生的意义，于大多数人而言不是"轰"的一声雷响，而是蜜蜂般"嗡嗡"不息地采撷花蜜；人从暗寂的子宫中来，还要渡到暗寂的彼岸去，那中间的历程，惊心动魄的事未必多多，真多了更未必是福，而常态的日常生活，以其平淡枯燥，磨砺着我们焦虑的灵魂，倘若我们能消除娇嗔暴戾，而终于甘于平凡，把有限的生命，融入能与真、善、美相联的事体中，那可能便是缔造了真福。

在中央音乐学院指挥系创建四十年暨杉杉中国指挥育才基金设立的交响音乐会上，演奏了五阙交响曲，由中央音乐学院指挥系历届系主任指挥，其中第三曲便是巴伯的《弦乐柔板》，李德伦走出来了，他没坐到别人为他准备的高脚凳上，也没拿指挥棒；这位年逾八十的老指挥家用简洁的手势演绎了这首我心爱的乐曲；我觉得他的面色是忧郁的，而演奏者们也从容地宣泄着人类共通的忧郁情愫。我从三十多年前起，就常在北京的各个演奏场所欣赏过李德伦大师的指挥，然而听他指挥这一首曲子，还是头一回。台上的指挥老了，台下如我这样的观众，也已鬓发斑白；我想到了关于李德伦人生经历的种种报道，他是很轰轰烈烈过的，有过大落大起，大辱大荣，大悲大喜，然而终于归到平静，归到沉思，归到澄明……我看到他侧身大提琴一边，用肥厚的手掌向上强调，仿佛是嫌那部分乐师尚不能传达出众生忧郁的淳朴之美……短短的九分多钟里，我也许已回顾过自己迄今为止的一生……我感到自己的灵魂正从浓酽的忧郁中升华……

交响乐曲不仅是我书房中经常性的"生命背景"，也逐渐地融入了我的魂魄。现在，又是一个平淡的静夜，我又放送着以巴伯《弦乐柔板》打头的唱盘……我勉励自己，再埋头，勤耕耘，好好地走完这可能久久都是平淡无奇的人生之路。

1996.11.25. 午夜绿叶居中

反对"诲暴"

"诲淫诲盗"是我们深恶痛绝的事。对付"诲淫",我们有"扫黄"行动;对付"诲盗",我们在打击刑事犯罪时,对"教唆犯"的处置一贯比较严厉。但是除了"诲淫诲盗",我以为还有个"诲暴"的问题。

我曾发表过一篇《暴力耻感》,大意是说,对于在大众传媒中展示色情,社会上大多数人都是反感、抵制的,也就是说,基本上形成了一种"色情耻感";但对于暴力的展示,许多人便比较麻木,缺少必要的"暴力耻感"。我还试图从学理上来分析这一问题。我并不是简单化、绝对化地反对暴力。正义者在对非正义的恶势力的斗争中,有时不得不"以暴易暴",大如世界人民的反法西斯战争,小如刑警对证据确凿而行凶拒捕的惯犯的枪击肉搏;对那正义一方的暴力,我们当然应取赞同的态度。但这并不是我要引起大家讨论的问题。我想吁请大家注意的是:在大众传媒日益深入到千家万户,特别是像电视和"小报"与通俗读物几乎已融入许多人特别是青少年的日常生活,乃至构成他们心理与精神发展中的重大因素时,大众传媒应当如何把握对暴力行为的直观显示?我以为,直接展示性行为特别是性器官,是色情,应"扫黄";直接展示施暴、杀戮特别是血腥的细节,是"诲暴",我们则应如同"扫黄"一样,实行"扫暴"。

当然,具体的情况,要具体分析。比如电视上的暴力镜头,有一些纪实性的,它的出现,是属于必要的;像为了唤起人们对日本军国主义死灰复燃的警惕,在回顾历史时，在荧屏上展示一点日本侵略军杀害我国同胞的镜头；又像为了报道对某一恶性刑事案件的侦破过程与对罪有应得者的处置，展现一点现场状况与击毙匪徒的情景，等等。但即使是为了一个很严肃的宣传目的，我以为这类的镜头也不宜在大众传媒，特别是电视上，频频地出现，尤其不宜将非正义的暴力详尽地加以显示。

有一些暴力展示，则是出于追求所谓的"艺术效果"。这类作品的作者一般在展示性爱上还是比较克制的，因为有"色情耻感"，所以绝不愿落下一个"色情"也就是"诲淫"的骂名；但因为缺乏"暴力耻感"，所以在展现暴力上，便很恣肆。我相信这样的创作者并无"诲暴"之意，但其客观效果，有时却是令人不寒而栗的。如去年在我们电视中广泛播出的连续剧《包青天》，其片头就出现过铡刀铡掉人头的血淋淋的镜头；编导者大概是想以此来突出包公的刚正不阿，但就有看了这个镜头的农村儿童，用铡刀去铡玩伴的惨剧发生！面对这始料未及的效果，我们一切与大众传媒的制作播发有关的人士，今后能不慎哉！

还有一些进入大众传媒，流布颇广的东西，则是有意地将暴力与色情并驾齐驱为两个"卖点"。由于人性的弱点，在大众中，确实有一部分人存在着窥视色情与暴力的欲求，你拿色情与暴力的东西上市，他们会成为热心的买主。在我国目前也出现了一些瞄准这一买方市场的卖主。由于社会上"色情耻感"较浓，"扫黄"工作也开展得比较有成效，公然贩"黄"在我国目前已比较困难；但是因为社会上尚未形成普遍的"暴力耻感"，更无"扫暴"一说，所以，现在我们的大众传媒中，渲染暴力的东西很是不少，有的打着"法制教育"的旗号，详尽展示、描写罪犯施暴的过程与细节。我以为这是必须坚决反对的！我主张提出"扫暴"的口号，并在立法的前提下，实施对大众传媒中暴力表现的限制与禁止。我更呼吁全社会能确立起"暴力耻感"。

在大众传媒中放肆渲染暴力，以美国最甚。前些时美国好莱坞又推出了一部警匪片《运币列车》，结果影片甫上映，在纽约地铁中便发生了模仿影片中的犯罪行为的暴力事件，一位警员竟被活活烧死在警亭中！我没看过这部影片，但我看过1994年美国著名导演奥利弗·斯通拍摄的《天生杀人狂》，我承认他拍这部影片是怀有一种严肃的探索意图，但影片中实在是充满了连篇累牍的暴力镜头，最近从报上看到消息，此片在法国上映时，已连续引发出了模仿性的杀人案件。我自认为是一个最主张对外开放的人，对有选择地引进美国好莱坞影片我是赞同的，但我以为除了不能引进"诲淫"的东西，也应注意抵制好莱坞的"诲暴"因素。联想到目前世界上并无多少正义性可言的战乱仍未平息，恐怖活动特别是滥杀无辜以至残害儿童的事情时有发生，便更感到确立"暴力耻感"的重要性！这样的文章我已写了几篇，但声孤和寡，反响甚微，故而再写此文。我将不懈地"反暴"。这也是我社会责任感的一个重要方面。

1996.3.14 绿叶居

谁是天生杀人狂?

　　我曾写过一篇《也要扫暴》,呼吁在大力"扫黄"的同时,也应对传媒中的暴力展示加以限制、清除乃至扫荡。但人微言轻,声单力孤,无甚回应。于是我又写过一篇《暴力耻感》,试图从学理上来思考、分析这一问题。我认为,对我们民族来说,目前"色情耻感"于大多数人来说是有的,但具有"暴力耻感"的人却不多。所谓"暴力耻感",就是把暴力展示与色情展示一样地视为羞耻。我认为,色情与暴力的展示,应分两个层面来说,一个层面,是因为这种展示对生理与心理都未发展到成熟阶段的青少年,绝对地有害,因此,即使出于"不得已"或"自有道理",也都应把握"未成年人不宜"的原则。比如,记者在报道有关部门破获、处理某一恶性刑事案件时,为把那案情说清楚,不得已提到一些例如强暴、肢解、焚尸等情节,像这样的新闻报道,不仅青少年报刊不宜刊登,就是成人报纸上的这种报道,如果有教师为进行法治教育,给少男少女们读报,那我就主张他跳开那些有关的描述。如今大众传媒中影响最大的是电视,我就主张在夜晚 11 点以前的节目里,特别是如连续剧《三国演义》这样男女老少都会热心观看的节目里,一定不仅不能有色情或准色情镜头,也要剔除掉暴力显示的镜头;现在拍出的《三国演义》连续剧总体而言当然是一部成功的制作,但其中有若干表现砍掉人头后,腔子里的血如何喷射出来,血淋淋的人头如何狰狞滚地的镜头,我对此就很不以为然,这些暴力镜头,对青少年的心性发展,是不仅没有好处,而且很可能在他们心灵深处,积淀下对暴力的麻木,乃至于模仿冲动的。另一个层面,涉及文学艺术创作上的一个敏感的问题,就是色情(性)和暴力(特别是恶性犯罪)既然是人类生存状态中固有的东西,那么,文学艺术家就有表现这些东西的创作自由,禁绝他们表现是下下策,而且往往也禁绝不了;在文学艺术史上,也确实出现了一些表现了性和暴力,然而依然可以说是有特殊价值甚至堪称优秀的作品,比如中国古典小说《金瓶梅》,英国现代作家劳伦斯的《查泰莱夫人和她的情人》等作品;在这个层面上,我的主张是:文学艺术可以表现性和暴力,但更可以不表现性和暴力;倘表现,出发点也应是作严肃的探讨,而不应将其作为媚俗谋利的诱饵。而即使是具有一定阅读研究乃至审美价值的这类文学艺术作品,我除了主张实行"未成年人不宜"限制外,还祈盼这类作品进入文化市场时,都应伴随着有关专家、学者的分析与指导。

色情的问题,这里暂且放在一旁,专来说说暴力问题。说到《金瓶梅》,我们多半都会同意实行"未成年不宜"的原则。因为我们多半都有"色情耻感"。但说到《水浒传》,恐怕认为也要实行这个原则的人就很少了。当然,我现在也不是主张禁止未成年的少年人读原本《水浒传》,但我倡议未成年人最好读节本(也是洁本)《水浒传》,接力出版社就出了林斤澜操笔的《水浒传》缩写本。这还不是重要的。重要的是,我主张包括已经很熟悉《水浒传》的成年人,现在也能对《水浒传》里的暴力描写,以新的眼光,加以审视,从而对其中那些"暴力糟粕"产生出"暴力耻感"来。《水浒传》基本上只承认一百单八个梁山好汉的价值,此外当然也还承认皇帝的价值,就是好汉们的大对立面,也还有点价值,但普通的小人物,就简直没什么价值了,例如好汉开的黑店,杀了普通客商,把他们的肉剁了做成人肉包子,在叙述者笔下那不但绝无耻感,简直是天经地义,只有在几乎误杀了武松等好汉时,才会生出后悔之心,所后悔的也并非残暴的行为,而是没弄清楚所欲杀者的身份。再如武松、鲁智深、李逵等为了杀掉坏人或救出自己的兄弟,他们如不小心误杀了一些普通人当然无可厚非,然而在有关情节的描写中,他们往往是有意要杀掉一些(有时很多)无辜者,叙述者对他们"杀红了眼"的此类表现,甚至是充满了欣赏之情。这实在是应加以批判的。从这个意义上说,《水浒传》和《金瓶梅》一样,都是了不起的文学巨著，然而一个在暴力表现上，一个在色情表现上，都是糟粕昭著的作品，我们不应只对《金》的色情描写保持耻感，也应对《水》的暴力描写产生耻感。现在正在紧锣密鼓地拍摄电视连续剧《水浒传》，这将又是一部收视率极高的连续剧，我希望制作者特别是导演，能把握好其中的暴力场面，请尽量不要重蹈《三国演义》的那种以身腔喷血、人头滚地为美或为噱头的旧辙！

最近看到了美国名导演奥利弗·斯通1994年拍摄的影片《天生杀人狂》的录像带，很感震惊。斯通是我尊重的导演，他以前所拍摄的《野战排》《生于七月四日》虽然也展现了暴力，但那是战争暴力，而且他在影片的叙述语言中，渗透着对非正义、非人道暴力的批判，细节处理上也适可而止。这部《天生杀人狂》却是展现和平时期的刑事犯罪，看得出，他的创作立意依然是严肃的，他显然是想探索两个问题：一是为什么有的人把杀人当成儿戏乃至于形成嗜好？二是为什么大众传媒与社会中的"追星族"会对刑事犯罪津津乐道、盲目追逐？他对影片中的一对杀人狂恋人的人生道路作了一些解剖，点出贫困、乱伦、愚昧、懒惰、社会不公等等都是形成丧失"杀人耻感"的重要外因；那影片中对社会畸形心理的揭露是尖刻的，如表现传媒将杀人如麻的罪犯事迹宣扬出来之后，有那凡是被传媒暴炒的人物一律当做"明星"崇拜的"追星族"，竟然在街上举出了"快来杀我"的牌子，似乎能被"杀人明星"杀掉也是一种"殊荣"！他这部影片更对传媒（报纸与电视）为了拓展发行数量和收视率，对杀人犯竟充满了"衣食父母"般的依赖与"审美激情"，进行了入木三分的讽刺。但这整部影片实在是"以暴易暴"，充满了频繁出现的血腥暴力镜头，令人不寒而栗；并且，我感觉斯通的这部影片实际上是在说：到头来没办法，因为在人性中，至少在某些人的人性中，杀人乃是一种天性！这真是既悲观而又偏执。

斯通的这部《天生杀人狂》在美国上映后，立即引发出了一些模仿性的犯罪案件；就在我写这篇文章一周前（1996年3月3日），在法国，便有一名十七岁的男青年与一名十八岁的女青年，模仿他们看过的这部影片里的情节，残忍地杀害了一名法裔突尼斯少年。

在美国，大众传媒中对暴力的展示不仅完全没有"暴力耻感"，更简直发展到了"以暴力为荣"的地步。听说最近好莱坞又推出了一部《运币列车》，结果刚一上映，在纽约地铁中就发生了模仿性的犯罪事件，一名地铁警察竟被活活烧死！

现在美国文化，包括美国电影，作为一种强势文化，正在流向我国。我是绝不主张关上国门的。必要的文化交流，一定要保持下去。我甚至于认为，美国也好，其他国家也好，凡所创造出的健康、优美的文明成果，都可视为"人类共享文明"。但色情与暴力的东西是不能"共享"的。我们不但要对自己民族文化传统中的色情与暴力糟粕采取批判矫正的态度，也要防范外来的色情与暴力文化。

谁是天生杀人狂？我对人性中的恶还没有悲观到这种地步。特别是经过人类数千年的文明积累，我以为凡是心性发育正常的人，无论是哪个民族哪个国家哪个阶层的人，在建立"暴力耻感"上，都是不难取得共识的。我祈盼人类能终于摆脱滥杀无辜的阴影！

1996.3.10 绿叶居

到底意难平

　　这篇文章发表时，今年美国的那个奥斯卡奖已然揭晓多日了。我现在不能肯定那部根据英国奥斯汀名著改编摄制的《知性与感性》是否夺得了"最佳影片奖"，但我可以肯定：它的导演一定得不到"最佳导演奖"。这是因为，虽然这部大片一举获得了奥斯卡奖的七项正式提名，从"最佳影片"一直涉及演员、摄影、原著剧本改编各个方面，可就是未获得"最佳导演奖"的提名。这种提名方式确实令人感到是"不按牌理出牌"——既然这部影片从整体到局部有多达七个方面的优点了，它的导演怎么会偏偏不"最佳"呢？

　　其实，说白了，出现这个"怪现象"的因素也很简单，那就是，这部百分之百表现金发碧眼的西洋人故事的古典大片，它的导演却是个黑发黄肤的中国人。

　　《知性与感性》的导演李安是来自中国台湾的一名天才艺术家。他在台湾所导演的三部影片《推手》、《喜宴》、《饮食男女》在海内外好评如潮，并获得国际电影节多项大奖，他也因此蜚声世界，成为与大陆张艺谋一样令西洋人刮目相看的中国大腕导演。

　　从某些方面来说，李安比张艺谋更厉害。张艺谋到目前为止，不过是把对西方人来说神奇而诡秘的"东方"拍出来，让他们看得既"销魂"又"乐魄"，还不曾把"最东方"的东西和"最西方"的东西一起拿来展现，而且是在激烈碰撞中展现——比如《喜宴》，它的故事背景主要是在美国，主人公却是两代中国人：把传宗接代的重要性看得比天大的父亲,跟美国小伙子"认认真真"搞同性恋的儿子;你看那冲突有多来劲儿!不管是中国人还是西洋人,谁看了能不感到惊心动魄!"老谋子"一时还没玩到这个份儿上。这恐怕也是因为"老谋子"大概不懂英文。李安却是台湾体制下几十年来一贯重视英文教育的产儿。他的英文程度不止是可以进行一般社交,也不止是足以应付用英文来表现一个中国的故事,更不止是足以用英语来指挥剧组里的洋雇员们;他到好莱坞寻求发展,不是先拍部比如说《末代皇帝》或《喜福会》那样的片子,而是"一'部'到位",开手便拍"地地道道"的西洋片,并且不是比较容易处理的西洋时装片,而是一部西洋古典名著改编片;由此可以看出,他不仅是英文娴熟,而且已经具有了英文思维,换句话说,他除了黑发黄肤以外,在导《知性与感性》这部片子时,他应该就是一个不打折扣的西洋导演了。片子拍完一演,立时好评如潮,更说明李安已进入了西方(至少是美国)的主流文化了。那真是谈何容易的事!

可是,片子虽然看好,而且看好的方面涉及多多,临到由有决定权的金发碧眼西洋人定盘子时,李安还是被他们排除在了"最佳导演"提名单子之外。

为什么?歧视?什么歧视?

不会有任何西洋人站出来承认,在这件事上,他们是心存歧视。

我也相信,这件事里不存在显性的歧视。

但是,隐性的呢?

我说的是隐性的歧视。不一定叫做种族歧视。但是,西洋人,我说的当然不是全部,但恐怕也不能说是少数,因为他们在最近一两个世纪里,有强势的经济和强势的文化为后盾,比如美国人,即使是一个乞丐,他讨得的每一枚硬币,都是可以在全世界买东西的"硬通货",而即使是一个不学无术的文盲,在以英语为母语的国家中,他也就天然掌握了一门到世界各处旅行都可不犯难的口语;而一个拥有百万千万人民币的中国人,他如不能将其手中钞票兑换为"硬通货",那么他到了美国就比那手头只有小钱的乞丐还穷;并且一个在中国能用中文写出非常优美文字的作家,只因为他不懂英文,在无人为他翻译的情况下,不要说他(或她)简直不能与西洋人进行文学交流,甚至连在飞机场办手续都会产生困难……这样,西洋人一般便形成了一种我称之为"文化自足"的心理态势；不是有特殊爱好或特殊需要的美国人，他不会产生学中文的冲动，更不会有知道中国作家、读中国小说的兴趣。但不仅是想出国交流、学习的一般中国人，就是你在国内想找一份较好的白领工作，那招聘广告上也多半强调：你起码得有相当的英语口语水平。1995年有那么多中国人读美国的那本《廊桥遗梦》，敢问在美国，有多少人在读中国小说呢？

西洋人，尤其是欧美人，他们对中国的隐性歧视，就表现在，除非遇到特殊情况，他们一般根本不会想到中国和中国人；他们偶尔关注到中国时，便会十分友好地，像张贤亮去年在英国，那位英国人向他提出那样的问题——在中国，除了民间的口头创作，还有文学存在吗？——我懂得那绝不是故意挑衅，而是一个正儿八经的"问题"；我本人几年前在法国的港口城市圣·拉扎尔的图书馆，一位听说市里来了中国作家，便极为亲热地跑来参加座谈的法国老太太，便蔼然地向我提过一个问题，那问题是——

"你们中国也有报纸吗？"

我承认，在那一瞬间我心中是打翻了个五味瓶。你说我跟她说句什么好呢？

我在那一瞬间里，为自己竟然不但知道法国有报纸，还知道《世界报》、《费加罗报》、《人道报》等具体的报名，甚至知道伽里玛出版社，知道从巴尔扎克到罗伯·格里叶那么多的法国作家而自我愤懑——我干嘛吗知道得那么多？究竟法国跟我有多大的关系？我是怎么一回事儿？

所以我一读韩少功的《世界》，便立刻理解了他那文章背后的心理状态。其实少功当年在国内首揭"寻根"大纛，并不是缘于受到比如说《文心雕龙》或《二十四诗品》的启迪，而是受到了拉美"文学爆炸"的影响，而所谓拉美的"文学爆炸"，又是欧美的论家们"钦定"的；少功是较早访美的中国作家，又多次访问法国；并且他很努力地攻英语，与人合译过米兰·昆德拉的著作，而米兰·昆德拉其实也是由西方论者首先加以大肯定的（"苏东坡"过后不那么红火了）；但事过几年，显然，"西方文化中心"的"势力眼"终于把少功也得罪了，使他在《世界》里来了一回愤懑的总爆发。

现在李安的遭遇，至少是我在一旁看来，那刺激远比少功所受的深多了。我对你们西洋文化已经亲和，不，岂止是亲和，已经可以说是融合，都达到这种程度了，怎么要得到你们的彻底承认，竟是如此之难？！——也许李安本人并无此想，但我作为一个局外人，在祝贺他进军好莱坞一举成功时，却又到底意难平！

不过也许是因为我毕竟年过半百，血的温度不那么火热了，当然，我的血也并没有冷（"到底意难平"嘛），我的血，趋向于温和。

我的愤懑与冲动，较快地转化为理性与冷静；我后来很耐心地回答了那位法国老太太的问题，向她，以及后来我所见到的，愿意听我说的外国人，从 ABC 起步，介绍当代中国的文化与文学状况。

为什么一个在中国留学或工作的外国人，只因为他或她能唱一两首中国歌，我们的电视台便给他们"大出镜"的机会？一个西洋人能说中国相声，我们便不仅喜出望外，甚至把他请到连中国一般明星也难出场的节目电视专场里大出风头？在美国会唱美国歌曲的中国留学生可谓多多，哪一家美国电视台（专为中国人聚居区设置的小电视台除外）会拿出整块时间来让他们一显身手呢？甚至连一个人只唱一首歌的节目似乎也没出现过。有的中国人，比如英若诚，也能来美国的"脱口秀"，但哪个美国电视台会把他请去参加演出呢，特别是在感恩节或圣诞节的时候？……

这一类的问题，还可以开列出许多许多。

我清醒地意识到，就中西文化交流而言，我们确实是处于大大地入超的状态。

这是"文化殖民主义"的表现？

我又清醒地意识到，"文化殖民主义"其实也是一种西方的时髦理论，并且盛行于西方（主要是美国）的大学讲坛；其理论的提出者与代表人物都是入了美国籍的教授，他们说英文，用英文写他们的著作，并因此进入了美国的文化主流，成为西方的理论明星；不消说，他们都是美国的守法公民；美国的每一派政治家都不认为他们对美国这个最大的搞"文化殖民"的国家具有颠覆作用。

除了赛义德、荷米·巴巴、斯皮瓦克这些非白种学者外，我预计，纯白人血统，而对西方体制持最严厉批判态度，也是对"文化殖民"鞭挞最力的学者乔姆斯基，将在中国学界走红。可是我也知道，他在美国尤其属于学界理论明星一流，他的理论，他的书，被美国文化主流视为一种艳丽的点缀，他安居美国最高学府，分享着美国不仅是搞"文化殖民"，而且也到处"维持秩序"所得来的许多甜头。我能期待他，给予我这样一个中国人，真正有实际用处的思维方式，特别是行动指南吗？

因此，我关注西方学者提出的"文化殖民主义"之类的理论，然而我不入他们那个套儿。那是他们的学问，不属于我，我也不是那么需要。

一些中国文化人，他们现在以自己的实力与苦干，向西方文化，甚至是西方主流文化进军。什么？中国作家的小说不能获得诺贝尔文学奖，是因为没有好的西方语言译本？他们笑了：干吗要译本？他们直接用西方文字写小说，有的已经取得了相当的成功，现在不是他们的作品有没有好的西方文字译本的问题，而是有没有像样的中文译本的问题！什么？写中国人的故事，即使成功了，充其量也不过是西方文化中的"少数民族文学"？他们当中又有人冷笑了：我现在是一个国际知识分子，我为什么非搞中国题材？于是，现在开始出现由中国血统的人，用英文等西方文字写的，表现西方主流社会生活的作品。李安的导演西洋古典文学名著改编片，也属于这种悲壮（如嫌"悲壮"不妥，可改为"豪壮"）历程的一个组成部分。照此奋斗下去，李安终于获得奥斯卡"最佳导演奖"提名，甚至干脆戴上"最佳导演"桂冠的那一天，也许不要多久，也便来到。倘若这几年会有一个持有西方护照的中国作家，因其直接用西方文字创作的作品获得诺贝尔文学奖，我是一点不会感到惊讶的。

当然，到底意难平。

我打算怎么办？

在理念上，我相信，富裕地区的文化，总是要借助于经济强势，朝相对还较穷的地区流动。倒不一定是富裕地区存心要来搞"文化殖民"，很多这类文化现象，是较穷的地区的一些人"自动文化殖民"，比如时下一些中国人爱取洋名字，我看并不是西方派"文化特务"来蛊惑的结果，或有意渗透的结果，而是那些中国人自己乐意；有趣的是，西方人真想拿他们的洋玩意儿诱惑中国人时，倒是用反过来的办法，即努力使自己的洋名儿化为中国名儿的居多，比如"施贵宝"、"史克"、"乐天"、"花王"等等。因此，要消除中西文化的入超状态，端赖发展经济。当我们这里相对来说不比他们穷时，或差距不那么大时，我们这边的大多数人，大概也就不至于对他们的文化，那么样地大惊小怪了，至少取他们那样的洋名儿的人，一定会锐减——你看现在我们中国经济状况比俄罗斯好，有谁给自己的商号取"伏尔加"之类的名字，又有谁管自己的孩子叫米沙或娜塔莎的呢？

要富起来，增强我们的综合国力，除了有自强不息的精神，还得发展市场经济，而西方在这方面有经验，当然不是他们所有的经验都于我们有用，然而有用的地方不少，我们需要学习，这学习便必须从语言入手，所以我对时下中国的"外语热"（其实也就是"英语热"）一点也不反感；更加上如今世界的经济格局，西方国家与其他国家，特别是我们中国之间的关系虽然还有若干不平等的因素，但确实已不能说是殖民与被殖民的关系，包括跨国资本的运作，引进西方资金，对我们中国发展经济，是必要的；而在这过程中西方文化的入超，只要我们有一份"意难平"的警惕，也便能够理解到，一是难以绝对避免，二是我们，特别是知识分子，可以起到一些制衡作用，不用急得双脚跳，以激情代替理智，弄得为了把这弊端消除，简单化地接过"文化殖民主义"的旗号，最后旋到抵抗市场经济的站位上去。反正我不往那位置上站。

本来只想写一篇短文，不曾想一开笔竟流泻出这么多来。就此打住。不自信多么有理。供读者诸君参考吧！当然，欢迎指正，真的。

1996.3.8 绿叶居

彼此难懂

1996 年诺贝尔文学奖得主产生了，是波兰七十三岁的女诗人维斯拉瓦·申博尔斯卡。世界上会有多少人熟悉并景仰这位女诗人呢？我不知道中国此前是否有人译介过她的诗作，也不敢预测会有多少中国文学工作者及爱好者从此热衷于欣赏她的佳篇。我只是再一次深刻地感觉到，诺贝尔文学奖实在是一种与我们很隔膜的"他者"。

在今年的《读书》杂志一月号上，有董鼎山先生的一篇大文：《诺贝尔文学奖背后——探看瑞典皇家学院》。这篇文章对这个奖项的来历、评定规则、弊端与倾向，都有翔实细致的介绍，是很可宝贵的资料。但这篇文章不仅在标题中称评定诺贝尔文学奖的机构为"瑞典皇家学院"，在其行文中也一再这样称呼。我读后很是惶惑。该机构究竟是不是"皇家"的？据我所知，它实在并不是"皇家学院"。虽然瑞典是一个君主立宪的国家，有皇家科学院（负责评定诺贝尔物理学奖、化学奖），还有皇家卡罗琳学院（负责评定诺贝尔生物学奖与医学奖），但评定诺贝尔文学奖的机构却没有皇家的头衔，它的名称，瑞典文为 Svenska Akademien，直译应为"瑞典学院"，现在我们称它为"瑞典文学院"，算是意译，因为它的职能确实是只与"文"即社会科学特别是文学有关，而不涉及自然科学。明明是有王室的国家，并且每届诺贝尔文学奖的颁发，都是与物理、化学、生物学、医学（60 年代后又增添了经济学）奖项一起，由瑞典国王与王后亲临颁奖，怎么会偏偏瑞典学院不"皇家"？据说，这是因为当年瑞典成立这一机构，是受到法兰西学院的影响，或者说是完全模仿着法兰西学院来创建的，法兰西学院不"皇家"（它是 1634 年由枢机主教黎塞留创建的），所以瑞典学院也便从不"皇家"，至于瑞典皇室对它有没有影响有多大影响，那是另外一个问题。

我写这篇文章，无意于为董鼎山先生的文章正误。董先生不仅是饱学之士（他长期定居纽约并在图书馆工作），而且，他的夫人正是瑞典人，他和夫人经常回瑞典度假探亲，关于瑞典的事，他是最有发言权的。我想，董先生在《读书》上的文章，只不过是顺手把瑞典学院写成了"瑞典皇家学院"而已。他那文章除了这一点稍欠严谨，其内容都是非常扎实可信的。

连董鼎山先生这样的学问家，用中文思维与写作，尚且会顺手便将瑞典学院称为了"瑞典皇家学院"，可见我们一般中国人，要弄懂西方的一些事，比如诺贝尔文学奖，先不说它的评定是否权威，也先不用讨论它为什么没颁给托尔斯泰、易卜生、左拉……以及为何始终不颁给中国作家，就是那负责评定这个奖项的机构究竟是怎么个名堂，我们便很难弄懂！

我们对他们的事儿难懂，他们呢？其实他们的弄不懂我们，比起来尤甚！且不举复杂的例子，举一个最简单的例子吧，比如说，我们中国的人民团体与文化组织，其领导机构是党组，在这些团体与组织中，有机关党委，但机关党委只是党组下面的一个负责党务的部门，党组书记是"一把手"，而且一般都不兼机关党委书记，因此总是党组指导机关党委，党组书记比机关党委书记职务高、责任大。这并非什么党内机密。在向全世界公开发表的中国共产党党章里，第九章便是专门说这个问题的。我们公开的传媒里也经常报道某些党组书记的活动。但我接触到的西方汉学家，"中国问题"专家，记者，甚至于驻华大使馆的某些文化官员，他们就死也弄不懂党组和党组书记是怎么一回事儿，他们在报道评述中国这些人民团体与文化组织的活动时，要么把党组书记说成是党委书记，要么虽然把称谓搞对了，却仍然以为这些团体与组织中的党委和党委书记是党组与党组书记的"上级"与"上司"。当然，这些党组和党组书记是必须服从批准它成立的上级党委领导的，但它虽称为"组"，下面却可能会仍有叫"委"的党组织，该级党委却又必须服从它这个"组"的领导。我曾试图向比如说瑞典学院院士、国际著名的汉学家马悦然先生讲明这个最基本的概念，但看得出他听来听去还是一头雾水，与他跟我费尽唇舌讲明瑞典学院虽可意译为"瑞典文学院"却不可称为"瑞典皇家文学院"，而我却总不免觉得"那有什么区别"、"怎么你们一个王国，又是评诺贝尔文学奖的重要机构，却偏又不皇室呢"一样。哎，彼此难懂，难懂啊！

在 10 月 4 日的《新民晚报》上，有"新华社上午供本报专电"，称今年诺贝尔文学奖得主为维耶斯瓦瓦·希姆博尔斯卡。我这篇文章前面所引的译名，是据同日同在上海出版的《文汇报》的新华社斯德哥尔摩 10 月 3 日电。同一家新闻社，发往同一城市两家报纸的得主姓名，译法上差别就这么大。这并不说明我们的记者有什么问题。实在是这位波兰女诗人于我们中国人太生疏。何况她的名字即使用同一拼法，用瑞典文、英文与波兰文发音，那就难免有差异。据《新民晚报》的报道，"（瑞典）文学院说，由于迥异的风格，希姆博尔斯卡的诗歌很难翻译成其他文字"；我想他们所说的意思，是将她的波兰文诗歌翻译成其他的西方拼音文字已属困难，那么，倘有人将她的诗译成中文，那困难恐怕就更大了。这也正如我们中国作家的作品，翻译成西方文字而还能保持一份语言的魅力，那真不是一桩简单的事！

彼此难懂！但毕竟还是要尽量弄懂！双方都努力吧！

1996.10.6

本世纪最大的是非

本世纪真是自有人类社会以来，最波诡云谲、惊心动魄的一个世纪，虽然在这个世纪里至今充满了基于不同价值观的认知冲突，但到本世纪的这个末梢，全人类中的绝大多数，还是形成了一个最大的共同是非观：法西斯主义与军国主义的对外侵略，非；反法西斯主义反军国主义，从已进行过并取得决定性胜利载入了史册的斗争，到目前坚持不懈地反对其残余的斗争，是。

但这个最大的是非观，近来却不断地受到极少数日本人的挑战。最新的例子是日本有一家"光荣软件有限公司"（总部设在日本横滨），它设计出了一种名为《提督的决断》的电脑游戏软件，该软件的命意，是在第二次世界大战中的太平洋战争的原有发展线索基础上，作为游戏者，可以自充指挥战争的日方"提督"，只要尽心竭力地排除万难，作出取胜的决断，则可以在德国"盟军"的协助下，依次改变历史上的种种既成事实，令日军在海、陆、空诸般战役中大胜英、法、美联军，以圆当年日本军国主义者未能实现的美梦。据说，该软件中日方海军主战舰是臭名昭著的日本山本五十六的旗舰——"大和号"，而被战后国际军事法庭处以绞刑的头号战犯东条英机，也竟以"将军"身份出现其中；出现其中的德国军官及其兵器均有地道的纳粹标志；随着游戏的进程，会大量出现城市沦陷，建筑物上升起日本军旗、日军一片欢呼的场景……这样的电脑软件，其实并非什么"游戏"，而是明目张胆地在教唆日本的软件使用者，特别是青少年，颠倒本世纪最大的是非，把日本在第二次世界大战中，与德国沆瀣一气，以法西斯主义与军国主义，发动侵略战争，残害包括中国人民在内的无数令人发指的血腥罪行，转换为不过是战争指挥者即"提督"的决断可以这样也可以那样，因此历史上的日、德失败不过是战术决断错误而已，并且这种"错误"还是可以由后人来加以"修正"的！大家试想一下：长期使用这种软盘的日本人会形成怎样的心理状态？这不是以"游戏"为幌子，从心理刺激入手，在日本民众中，特别是日本青少年中，复活军国主义，燃起法西斯情绪吗？

这家日本公司的这种软件，据说已发行到了第三版，内容一版比一版"火暴"，制作上也更精致，并且还制作了中文版，已发行到了中国的台湾；更令人气愤的是，这家公司在中国北京与天津的分公司，竟欲在中国生产与发售这种伤天害理的软件！1995 年北京分公司曾集体抵制，未做成，今年 5 月，又在天津分公司布置制作，在该公司电脑动画部的四位年轻人（请记住他们的名字：梁广明、高原、郭海京、祁魏）挺身而出，进行了抵制，却被该公司日本负责人相继"炒鱿鱼"；现在该公司虽被迫停止了在中国分公司制作这个软件，但日方经理高桥正则仍强调："这仅仅是个游戏"，"中国人太看重那段历史了"，"在日本是无所谓的"，"历史毕竟过去了那么多时间，过去了就过去了嘛"。（有关报道可参看 7 月 12 日《南方周末》）这家公司虽然不在中国内地生产这种软件了，但他们显然并不一定会停止在日本或别的什么地方生产这种东西。

这种《提督的决断》的电脑游戏软件，不仅是伤害了中国人民的感情，它实际上是对 20 世纪整个人类良知的严重挑战！即使是电脑游戏，也不能允许这样的玩法！比如说，有《三国演义》的电脑游戏，电脑操纵者可以"改变"历史，自由决定最终统一中国的是哪一方，这虽荒诞，但这里面并无严重的是非；可是，倘若有中国人设计出那样的电脑游戏软件，让电脑操纵者自由决定岳飞和秦桧谁是国家保卫者，那是必定要派生出相当严重的问题的——但毕竟那还是中华民族内部的事儿；你日本"光荣公司"现在不是拿你日本自己一国的事儿游戏，你这个软件是拿人类有了定论，并且你日本大多数人也是对之认同的本世纪最大的是非，来"开涮"，这便是冒天下之大不韪了！

日本"光荣公司"的此种行径，不能当成一个偶然的事件。这些年在日本，某些政界要员便时不时地冒出一些言论，公然否认日本政府在"二战"时期的所作所为属于发动侵略战争的罪恶性质，令世人震惊之余，不能不提高警惕，"历史毕竟过去了那么多时间"，但历史的大是大非在日本一些"有头有脸"的人物那里，竟还处于颠倒或模糊状态；更有"光荣公司"老板这种商人，跨国投资，却将不仅是伤害了他国民众感情，而且颠倒本世纪最大是非的精神产品，欲拿来成批生产，想从精神上对曾受日本军国主义和法西斯主义戕害的善良人们，再进行一次强暴；这是多么触目惊心的反动（而且是在"反动"这两个字的最准确最全面最深刻意义上的反动）行为！

"在日本是无所谓的"，我无法去日本作社会调查，但我坚信日本的大多数人，对这种颠倒最大是非的行径，是有所谓的。不能不让人想到德国的情况，"二战"以后，虽然直到目前，德国社会上都总有些"新纳粹"分子在蠢动，但德国历届的政界高层人物中，鲜有否认"二战"中德国出兵别国属于侵略行径的言论，有的政界人士还带头忏悔，在被侵略国死难烈士墓前，甚至情不自禁地下跪，令人感受到本世纪人类以稠厚鲜血凝成的大是大非的威力，亦对其不令悲剧重演的真诚信服；德国在法律上对法西斯主义和军国主义的复活，也有颇明确的禁制；更没听说过德国商人或公司明目张胆地设计生产类似《提督的决断》这种商品，并推及于原被侵略国的怪事发生。在对本世纪人类最大是非的膺服与敬畏上，日本人应当很好地向德国人学习。

20世纪人类最大的是非不容亵渎，更不容颠倒！只有维系住这一大是大非的共识，下一世纪才可能比这一世纪美好！

1996.7.16

刘心武文学活动大事记

1942 年

6 月 4 日生于四川省成都市育婴堂街。

后在重庆度过童年。

父母兄姊均热爱文学艺术，深受家庭熏陶。

1950 年

随父母迁居北京，从此定居北京。

在隆福寺小学上小学，在北京 21 中上初中。

1958 年

在北京 65 中上高中。

给若干报刊投稿，屡被退稿。

8 月，在《读书》杂志发表《谈〈第四十一〉》一文，是投稿第一次成功。

1959 年

在《北京晚报》"五色土"副刊陆续发表一些儿童诗、小小说。

为中央人民广播电台少儿部《小喇叭》（对学龄前儿童广播）编写若干节目；其中快板剧《咕咚》经编辑加工、录制后大受欢迎；"文革"中录音带被销毁；1991 年重新录制播出。

1961 年

毕业于北京师范专科学校,分配到北京 13 中任教。

至"文革"前,在《北京晚报》《中国青年报》《人民日报》《光明日报》《大公报》《北京日报》《体育报》《儿童时代》《大众电影》等报刊上发表了约 70 篇小小说、散文、杂文、评论等文章。

1966—1976 年

"文革"中,因 1964 年曾发表过一篇关于京剧的文章,以"反江青"罪名被冲击。

1974 年后再试写作,曾写一关于"教育革命"的长篇小说,由出版社联系获准脱产修改,但终未达到当时出版要求。

1976 年

写出一个大院里孩子们同坏蛋斗争的中篇小说《睁大你的眼睛》并得以出版(北京人民出版社)。

又按照当时政治要求写出一些短篇小说、散文,有的到次年才收入多人合集中出版。

调到北京人民出版社(后恢复"文革"前社名:北京出版社)文艺编辑室当编辑。

1977 年

11 月,在《人民文学》杂志发表短篇小说《班主任》,产生重大影响——被认为是"伤痕文学"的开山作,也是"新时期文学"的发端;从此成名。

从《班主任》后,写作冲破懵懂,沿着认定的方向跋涉,穿越风云,锲而不舍。

1978 年

参加《十月》杂志(开始以丛书名义出版)创刊工作,在创刊号上发表短篇小说《爱情的位置》,经转载和广播,影响巨大。

在《中国青年》杂志上发表短篇小说《醒来吧,弟弟》,反应亦极强烈。

《班主任》《爱情的位置》《醒来吧,弟弟》均被改编为广播剧,由中央人民广播电台多次广播,《醒来吧,弟弟》被搬上话剧舞台;此年发表的短篇小说《穿米黄色大衣的青年》亦由电台播出。

1979 年

在首届全国优秀短篇小说评奖中《班主任》获第一名。颁奖会上，从茅盾先生手中接过奖状。

参加中国作家协会第三次全国代表大会，被选为中国作家协会理事。

成为中华全国青年联合会常务委员，至 1993 年卸任。

9 月，参加中国作家代表团访问罗马尼亚，此系"文革"后第一个作家出访团。

在《人民文学》杂志发表短篇小说《我爱每一片绿叶》，写作技巧有长足进步。

1980 年

调至北京市文联当专业作家。

《我爱每一片绿叶》获 1979 年全国优秀短篇小说奖。

《看不见的朋友》获 1954—1979 年第二届全国少年儿童文学创作奖。

在《十月》杂志发表中篇小说《如意》，其弘扬人道主义的追求引起争议。

出版《刘心武短篇小说选》（北京出版社）。

1981 年

在《十月》杂志发表中篇小说《立体交叉桥》，引出更大争议，一些评论家认为"调子低沉"是步入了写作上的歧途，另有评论家则认为此作标志着刘心武的小说创作在反映现实、探索人性及艺术工力上均达到了新的水平。

5 月，应日本文艺春秋社邀请访问日本。

1982 年

应导演黄健中之请，改编《如意》；北京电影制片厂拍成彩色艺术片《如意》。

1983 年

11 月，参加中国电影代表团赴法国，在南特"三大洲电影节"上，《如意》在开幕式上放映，获好评；后陆续在法国、西德电视台播出。

1984 年

冬，应邀访问西德，参加"中德大学生会见活动"，并在波恩大学、波鸿大学与威尔兹堡大学介绍中国当代文学。

年底，参加中国作家协会第四次全国代表大会，再次当选为理事。

在《当代》文学双月刊第 5、6 期连载长篇小说《钟鼓楼》。

1985 年

出版长篇小说《钟鼓楼》(人民文学出版社)，并获第二届茅盾文学奖。

因《钟鼓楼》获北京市政府嘉奖。

7 月，在《人民文学》杂志发表纪实小说《5·19 长镜头》，反响强烈。

11 月，又在《人民文学》杂志发表纪实小说《公共汽车咏叹调》，引起轰动。

1986 年

年初，应当代文艺出版社邀请访问香港。

6 月，调中国作家协会人民文学杂志社，任常务副主编。

在《收获》杂志设《私人照相簿》专栏，进行图文交融的文本尝试。

散文集《垂柳集》出版，冰心为之作序。

1987 年

1 月，被任命为《人民文学》杂志主编。

2 月，《人民文学》杂志 1、2 期合刊发表马建写的小说《亮出你的舌苔或空空荡荡》违反民族政策，承担责任，停职检查。

9 月，复职。

冬，应邀赴美国访问。参观美洲华侨日报；在哥伦比亚大学、三一学院、哈佛大学、麻省理工学院、康奈尔大学、芝加哥大学、旧金山大学、斯坦福大学、伯克利加州大学、洛杉矶加州大学、圣迭戈加州大学等处演讲，介绍中国当代文学，并参观耶鲁大学；参加爱荷华大学"作家写作中心"的纪念活动；游览华盛顿等地。

1988 年

3 月, 应香港《大公报》邀请, 赴香港参加五十周年报庆活动; 在《大公报》安排的大型报告会上作关于改革开放与文学创作的报告。

5 月, 应法国文化部邀请, 参加中国作家代表团访问法国, 除在巴黎活动外, 还访问了西部港口城市圣·拉扎尔。

《私人照相簿》在香港出版 (南粤出版社)。

《我可不怕十三岁》获 1980—1985 年全国优秀儿童文学奖。

以上数年中, 若干小说、散文还分别获得过《当代》《十月》《小说月报》《小说选刊》《中篇小说选刊》《儿童文学》《北方文学》等杂志, 《人民日报》《文汇报》等报纸副刊的奖; 拍成电视剧播出的有《没工夫叹息》《熄灭》(电视剧名《火苗》)《今夏流行明黄色》《到远处去发信》《非重点》《公共汽车咏叹调》和八集连续剧《钟鼓楼》; 若干作品被英国、美国、西德、苏联、日本、瑞士、瑞典、法国、意大利等国翻译为英、德、俄、日、法、意、瑞典等文字出版; 自 1987 年起被世界上有威望的英国欧罗巴出版社《世界名人录》收入词条。

1989 年

春, 应香港中文大学翻译中心邀请, 与妻子吕晓歌赴香港访问。

1990 年

3 月, 以任届期满, 免去《人民文学》杂志主编职务。

香港中文大学翻译中心编译的英文小说集《黑墙与其他故事》出版。

秋, 以"鱼山"笔名在《钟山》杂志发表中篇小说《曹叔》。

1991 年

出版小说集《一窗灯火》。

除小说外, 开始发表大量散文、随笔。

1992 年

长篇小说《风过耳》在内地 (中国青年出版社)、香港 (勤＋缘出版社) 分别出版，反响颇为强烈。

长篇小说《四牌楼》完稿，交上海文艺出版社出版。

《献给命运的紫罗兰——刘心武谈生存智慧》由上海人民出版社出版，受到读者欢迎。

在《收获》杂志发表中篇小说《小墩子》，后由中国电视剧制作中心改编拍摄为电视连续剧。

至该年，在海内外出版的个人专著按不同版本计已达43种。

在《红楼梦学刊》1992年第二辑上发表论文《秦可卿出身未必寒微》，在"红学"界和读者中均引起注意；另有若干《红楼梦》人物论和《红楼边角》专栏文章发表。

冬，应瑞典学院邀请（斯堪的纳维亚航空公司赞助）赴北欧访问；在挪威奥斯陆大学、瑞典斯德哥尔摩大学和隆德大学、丹麦哥本哈根大学和奥胡斯大学的东亚系汉学专业以《九十年代初的中国小说》为题作学术报告；12月7日，参加诺贝尔文学奖有关活动，听1992年得主德里克·沃尔科特发表受奖演说。

1993 年

华艺出版社出版《刘心武文集》（1—8卷）。

出版长篇小说《四牌楼》。

1994 年

1月，应台湾《中国时报》邀请赴台参加"两岸三地文学研讨会"。

《四牌楼》获上海优秀长篇小说大奖，到沪领奖。

1995 年

出版随笔集《人生非梦总难醒》（上海人民出版社）。

出版小说集《仙人承露盘》（华艺出版社）。

1996 年

出版长篇小说《栖凤楼》（人民文学出版社）。至此，由《钟鼓楼》《四牌楼》《栖凤楼》构成的"三楼"长篇小说系列竣工。

应《南洋商报》邀请赴马来西亚访问并顺访新加坡。

1997 年

应日本文化交流基金会邀请，与妻子吕晓歌访问日本。其长篇小说《钟鼓楼》、儿童文学作品《我是你的朋友》、短篇小说《王府井万花筒》等此前已相继译为日文在日本出版。

1998 年

建筑评论集《我眼中的建筑与环境》由中国建筑工业出版社出版，在建筑界产生影响。

应美国科罗拉多大学邀请，赴美参加金庸作品国际研讨会，在会上提交关于《鹿鼎记》的论文《失父：一种生存困境》。

1999 年

出版纪实性长篇小说《树与林同在》（山东画报出版社）。

出版《红楼三钗之谜》（华艺出版社）。

赴新加坡出席国际环境文学研讨会。

2000 年

应邀访问法国，并应英中协会和伦敦大学邀请，从巴黎赴伦敦讲《红楼梦》。

至此年底在海内外出版的个人专著（不含文集）按不同版本计达 101 种。

2001 年

出版包含建筑评论的随笔集《在忧郁中升华》（文汇出版社）。

在北京电视台录制播出《刘心武谈建筑》系列节目。

2002 年

出版小说集《京漂女》（中国文联出版社），自绘插图。

应澳大利亚雪梨华文写作协会邀请赴澳大利亚访问。

2003 年

以马来西亚《星洲日报》世界华人文学"花踪奖"评委身份赴吉隆坡参加相关活动。

台湾联经出版社出版小说集《人面鱼》。此前台湾已出版过刘心武多种作品，如皇冠出版社出版了《钟鼓楼》，幼狮文化事业公司出版了《四牌楼》《为他人默默许愿》（散文集）。

2004 年

赴法参加巴黎书展活动。书展上展出了译为法文的著作有小说《树与林同在》《护城河边的灰姑娘》《尘与汗》《人面鱼》《如意》与歌剧剧本《老舍之死》。

建筑评论集《材质之美》由中国建材工业出版社出版。

小说集《站冰》出版（人民文学出版社），自绘封面插图。

2005 年

出版集历年研红成果的《红楼望月》（书海出版社）。

应 CCTV-10（中央电视台科学教育频道）《百家讲坛》邀请，录制播出《刘心武揭秘〈红楼梦〉》系列节目 23 集，反响强烈，引出争议。

《刘心武揭秘〈红楼梦〉》第一、二部相继出版（东方出版社），畅销。

2006 年

应美国华美协会邀请，赴纽约在哥伦比亚大学讲《红楼梦》。

应邀参加香港书展。

出版《刘心武揭秘古本〈红楼梦〉》（人民出版社）。

2007 年

继续应邀到 CCTV-10《百家讲坛》录制节目，并出版《刘心武揭秘〈红楼梦〉》第三部、第四部（东方出版社）。

访问俄罗斯。

2008 年

出版随笔集《健康携梦人》（中国海关出版社）。

自1986年出版《垂柳集》，至此所出版的散文随笔集已逾30种。

2009 年

在《上海文学》杂志开《十二幅画》专栏，每期发表一篇写人物命运的大散文，并配发自己的画作。

4月，妻子吕晓歌病逝，著长文《那边多美呀！》悼念。

2010 年

再应CCTV-10《百家讲坛》邀请，录制播出《〈红楼梦〉的真故事》系列节目。至此在《百家讲坛》录制播出关于《红楼梦》的个人系列讲座累计达61集。

出版《〈红楼梦〉的真故事》（凤凰联动·江苏人民出版社），在争议声中畅销。

4月，应台湾新地文学社邀请赴台参加"21世纪世界华文文学高峰会议"。

出版《命中相遇——刘心武话里有画》（上海文艺出版社）。

加快《刘心武续〈红楼梦〉》的写作，次年完成推出。

至本年底，在海内外出版的个人专著，文集不算在内，重印亦不算，按不同版本计达182种（按不同书名计则为141种）。

年底，筹备编辑《刘心武文存》。

附录二 刘心武著作书目

只包括在中国大陆、台湾、香港和海外出版的书（同一著作每种版本单列）；不包括散发于报刊尚未出书的篇目，亦不包括多人合集中的篇目。第一个数字表示不同版本的排序；[ ]中的数字表示剔除同一书名的版本后的排序；注意：文集8卷不参加排序。

1976 年

1.[1]《睁大你的眼睛》[儿童文学·中篇小说]

北京人民出版社 1976 年 1 月第一版

1978 年

2.[2]《母校留念》[儿童文学·小说集]

中国少年儿童出版社 1978 年 7 月第一版

1979 年

3.[3]《小猴吃瓜果》[低幼读物·画册]

少年儿童出版社 1979 年 4 月第一版

1980 年 6 月第二次印刷

4.[4]《班主任》[短篇小说集]

中国青年出版社 1979 年 6 月第一版

1980 年

5.[5]《我是你的朋友》[儿童文学·中篇小说]

北京出版社 1980 年 7 月第一版

6.[6]《绿叶与黄金》[中短篇小说集]

广东人民出版社 1980 年 8 月第一版

7.[7]《刘心武短篇小说集》

北京出版社 1980 年 9 月第一版

1981 年

8.《这里有黄金》[中短篇小说集]

广东人民出版社 1981 年 4 月第二次印刷

有平装、软精装两种

9.[8]《大眼猫》[中短篇小说集]

浙江人民出版社 1981 年 8 月第一版

1982 年

10.[9]《如意》[中篇小说集]

北京出版社 1982 年 5 月第一版

1983 年

11.[10]《中国现代作家选（Ⅲ）刘心武〈我爱每一片绿叶〉〈深谷小溪默默流〉》

[日本] 东方书店 1983 年第一版

12.[11]《同文学青年对话》

文化艺术出版社 1983 年 10 月第一版

1984 年

13.[12]《到远处去发信》[中短篇小说集]

四川人民出版社 1984 年 4 月第一版

有平装、软精装两种

14.[13]《如意》[电影文学剧本]（与戴宗安联合署名）

中国电影出版社 1984 年 6 月第一版

1985 年

15.[14]《嘉陵江流进血管》[中篇小说集]

陕西人民出版社 1985 年 2 月第一版

16.[15]《日程紧迫》[中短篇小说集]

群众出版社 1985 年 5 月第一版

17.[16]《我可不怕十三岁》[儿童文学集]

新世纪出版社 1985 年 8 月第一版

18.[17]《钟鼓楼》[长篇小说]

人民文学出版社 1985 年 11 月第一版

有平装、软精装两种

1986 年 5 月第二次印刷

1986 年

19.[18]《公共汽车咏叹调》[纪实小说]

湖南文艺出版社 1986 年 1 月第一版

20.[19]《都会咏叹调》[小说集]

作家出版社 1986 年 3 月第一版

21.[20]《垂柳集》[散文集]

陕西人民出版社 1986 年 4 月第一版

22.[21]《立体交叉桥》[中短篇小说集]

人民文学出版社 1986 年 6 月第一版

有平装、软精装两种

23.[22]《巴黎郁金香》[访法散文集]

群众出版社 1986 年 11 月第一版

24.[23]《木变石戒指》[中短篇小说集]

青海人民出版社 1986 年 12 月第一版

1987 年

25. *Little Monkey Triesto Eat Fruit* [科学童话·英文]

海豚出版社 1987 年第一版

有平装、精装两种

26.[24]《斜坡文谈》[文学理论]

上海文艺出版社 1987 年 4 月第一版

27.[25]《王府井万花筒》[中篇小说集]

湖南文艺出版社 1987 年 9 月第一版

有平装、精装两种

28.[26]《5·19 长镜头》[小说自选集]

四川文艺出版社 1987 年 11 月第一版

29.げくけきの友たちだ [《我是你的朋友》日译本]

[日本]福武书店 1987 年 12 月第一版

1989 年 3 月第二版

1991 年 2 月第三版

1988 年

30.[27]《她有一头披肩发》[中短篇小说集]

台湾林白出版社 1988 年 4 月第一版

31.《钟鼓楼》[长篇小说]

香港天地图书有限公司 1988 年第一版

1993 年第二版

32.[28]《私人照相簿》[纪实文学]

香港南粤出版社 1988 年 11 月第一版

33.[29]《刘心武代表作》

黄河文艺出版社 1988 年 12 月第一版

1989 年

34.《小猴吃瓜果》[科学童话]

开明出版社、海豚出版社 1989 年 3 月第一版

35.《钟鼓楼》[长篇小说]

台湾皇冠出版社 1989 年 4 月第一版

36.[30]《一片绿叶对你说》[文艺随笔集]

河北教育出版社 1989 年 12 月第一版

1990 年

37.[31]*BLACK WALLS AND OTHER STORIES* [小说集·英译本]

香港中文大学翻译中心出版社 1990 年第一版

38.[32]《王府井万花镜》[小说集·日译本]

[日本] 德间书店 1990 年 9 月第一版

1991 年

39.《母校留念》[小说]

[日本] 骏河台出版社 1991 年 4 月第一版

40.[33]《一窗灯火》[中短篇小说集]

华艺出版社 1991 年 10 月第一版

1993 年第二次印刷

1992 年

41.[34]《列奥纳多·达·芬奇》[传记]

江苏教育出版社 1992 年 5 月第一版

42.[35]《有家可归》[散文随笔集]

广东旅游出版社 1992 年 5 月第一版

43.[36]《风过耳》[长篇小说]

中国青年出版社 1992 年 6 月第一版

1992 年 12 月第二次印刷

1993 年 3 月第三次印刷

1995 年 8 月第五次印刷

1996 年 3 月第六次印刷

44.《风过耳》[长篇小说]

香港勤＋缘出版社 1992 年 6 月第一版

45.[37]《献给命运的紫罗兰——刘心武谈生存智慧》

上海人民出版社 1992 年 6 月第一版

1992 年 11 月第二次印刷

1995 年第三次印刷

1996 年 12 月第五次印刷

46.《刘心武代表作》

河南人民出版社 1992 年 6 月第二次印刷·精装本

47.[38]《蓝夜叉》[中篇小说集]

香港勤＋缘出版社 1992 年 9 月第一版

1993 年

48.《北京下町物语》[长篇小说·《钟鼓楼》日译本]

[日本] 东京恒文社 1993 年 2 月第一版

1994 年第二版

49.[39]《为你自己高兴》[随笔集]

内蒙古人民出版社 1993 年 3 月第一版

50.[40]《杀星》[小说集]

香港勤＋缘出版社 1993 年 6 月第一版

51.《我是你的朋友》[儿童文学·中篇小说·增订本]

希望出版社 1993 年 6 月第一版

52.[41]《四牌楼》[长篇小说]

上海文艺出版社 1993 年 6 月第一版

1994 年 4 月第二次印刷

1996 年 11 月第三次印刷

53.[42]《我是怎样的一个瓶子》[随笔集]

成都出版社 1993 年 9 月第一版

54.[43]《沉默交流》[随笔集]

中国华侨出版社 1993 年 11 月第一版

55.[44]《富心有术》[随笔集]

群众出版社 1993 年 12 月第一版

1995 年第二次印刷

56.[45]《中国当代名人随笔·刘心武卷》

陕西人民出版社 1993 年 12 月第一版

☆《刘心武文集》[1—8 卷]

华艺出版社 1993 年 12 月第一版

☆《刘心武文集·〈钟鼓楼〉〈风过耳〉》(简装本)

☆《刘心武文集·〈四牌楼〉〈无尽的长廊〉》(简装本)

华艺出版社 1997 年 5 月第一版

1994 年

57.[46]《仰望苍天》[随笔集]

知识出版社 1994 年 1 月第一版

1995 年第二次印刷

东方出版中心 1996 年 7 月第三次印刷

58.[47]《男扮女妆与女扮男妆》[随笔集]

中原农民出版社 1994 年 2 月第一版

59.[48]《相对一笑》[小小说集]

中共中央党校出版社 1994 年 2 月第一版

60.[49]《秦可卿之死》[专著]

华艺出版社 1994 年 5 月第一版

61.《四牌楼》[长篇小说]

台湾幼狮文化事业公司 1994 年 8 月第一版

62.[50]《为他人默默许愿》[散文集]

台湾幼狮文化事业公司 1994 年 10 月第一版

63.[51]《中国小说名家新作丛书·刘心武卷》

海峡文艺出版社 1994 年 11 月第一版

64.[52]《红楼梦（缩写本）》

接力出版社 1994 年 12 月第一版

1995 年第二次印刷

1997 年 9 月第三次印刷

1995 年

65.[53]《人生非梦总难醒》[名人日记·随笔集]

上海人民出版社 1995 年 1 月第一版

1995 年 3 月第二次印刷

66.[54]《仙人承露盘》[中短篇小说集]

华艺出版社 1995 年 3 月第一版

67.[55]《女性与城市》[杂文集]

中国城市出版社 1995 年 6 月第一版

68.《我是你的朋友》[增订版·"小学生成才书架" 系列之一]

希望出版社 1995 年 10 月第一版

69.《在胡同里转悠》[随笔集]

陕西人民出版社 1995 年 11 月第二次印刷

70.[56]《刘心武海外游记》

华文出版社 1995 年 12 月第一版

1996 年

71.[57]《刘心武小说精选》

太白文艺出版社 1996 年 2 月第一版

72.[58]《开发心大陆》[随笔集]

吉林人民出版社 1996 年 3 月第一版

1997 年 3 月第二次印刷

73.[59]《你哼的什么歌》[散文集]

湖南文艺出版社 1996 年 6 月第一版

74.[60]《刘心武张颐武对话录——"后世纪"的文化了望》

漓江出版社 1996 年 7 月第一版

75.[61]《边缘有光》[随笔集]

汉语大辞典出版社 1996 年 8 月第一版

76.[62]《刘心武怪诞小说自选集》

漓江出版社 1996 年 8 月第一版

有平装、精装两种

77.[63]《我是刘心武》

团结出版社 1996 年 9 月第一版

78.[64]《刘心武》[中国当代作家选集丛书]

人民文学出版社 1996 年 10 月第一版

79.[65]《刘心武杂文自选集》

百花文艺出版社 1996 年 11 月第一版

80.《秦可卿之死》[修订本]

　　　　　　　　　　　华艺出版社 1996 年 11 月第二版

81.[66]《栖凤楼》[长篇小说]

　　　　　　　　　　　人民文学出版社 1996 年 12 月第一版

　　　　　　　　　　　1998 年 3 月第二次印刷

1997 年

82.[67]《封神演义（缩写本）》

　　　　　　　　　　　接力出版社 1997 年 1 月第一版

　　　　　　　　　　　1997 年 9 月第二次印刷

83.[68]《胡同串子》[中短篇小说集]

　　　　　　　　　　　北京燕山出版社 1997 年 8 月第一版

84.《私人照相簿》

　　　　　　　　　　　上海远东出版社 1997 年 9 月第一版

　　　　　　　　　　　1998 年 2 月第二次印刷

　　　　　　　2000 年换封面版权页称 2000 年 6 月第二次印刷

85.[69]《中国儿童文学名家作品精选丛书·刘心武作品精选》

　　　　　　　　　　　河北少年儿童出版社 1997 年 8 月第一版

86.[70]《把嘴张圆》[随笔集]

　　　　　　　　　　　上海远东出版社 1997 年 12 月第一版

1998 年

87.[71]《我眼中的建筑与环境》[建筑评论随笔集]

　　　　　　　　　　　中国建筑工业出版 1998 年 5 月第一版

　　　　　　　　　　　1999 年 5 月第二次印刷

　　　　　　　　　　　2000 年 6 月第三次印刷

　　　　　　　　　　　2001 年 6 月第四次印刷

88.《钟鼓楼》[茅盾文学奖获奖书系]

人民文学出版社 1998 年 3 月第一次印刷

1998 年 7 月第二次印刷

1998 年 8 月第三次印刷

1999 年 3 月第四次印刷

2000 年 1 月第五次印刷

2001 年 1 月第六次印刷

2001 年 8 月第七次印刷

2002 年 8 月第八次印刷

2003 年 1 月第九次印刷

1999 年

89.[72]《树与林同在》[非虚构长篇小说]

山东画报出版社 1999 年 3 月第一版

2006 年 7 月第二次印刷

90.[73]《八十六颗星星》(*The Eighty-Six Stars*) [儿童文学小说·汉英对照]

希望出版社 1999 年 6 月第一版

91.[74]《红楼三钗之谜》[刘心武红学探佚精品]

华艺出版社 1999 年 9 月第一版

92.[75]《蓝玫瑰》[中短篇小说集]

中国华侨出版社 1999 年 10 月第一版

93.[76]《过隧道的心情》[随笔集]

华东师范大学出版社 1999 年 12 月第一版

2000 年

94.[77]《一切都还来得及》[随笔集]

中国青年出版社 2000 年 1 月第一版

95.[78]《善的教育》[儿童文学]

辽宁少年儿童出版社 2000 年 2 月第一版

96.[79] Le Talisman (version bilingue)[《如意》中、法文对照版]

Librarie You Feng 2000 年 4 月第一版

97.[80]《作家刘心武〈班主任〉手迹》

线装书局 2000 年 5 月第一版

98.[81]《楼前白玉兰》[小小说集]

中国广播电视出版社 2000 年 7 月第一版

99.[82]《刘心武侃北京》

上海文艺出版社 2000 年 10 月第一版

100.[83]《我爱吃苦瓜》[茅盾文学奖获奖作家散文精品]

广州出版社 2000 年 10 月第一版

2002 年 10 月第二次印刷

101.[84]《了解高行健》

香港开益出版社 2000 年 12 月第一版

2001 年

102.[85]《亲近苍莽》

中国旅游出版社 2001 年 1 月第一版

103.[86]《在忧郁中升华》

文汇出版社 2001 年 2 月第一版

《刘心武谈建筑——在忧郁中升华》2007 年 8 月第二次印刷

104.[87]《人在风中》

作家出版社 2001 年 8 月第一版

105.《风过耳》·

时代文艺出版社 2001 年 10 月第一版

有平装、精装两种

2002 年

106.[88]《京漂女》(自绘插图)

中国文联出版社 2002 年 1 月第一版

107.[89]《深夜月当花》

中国工人出版社 2002 年 1 月第一版

108.[90]《春梦随云散》

人民文学出版社 2002 年 4 月第一版

109.[91]《藤萝花饼》

台湾二鱼文化事业有限公司 2002 年 4 月第一版

110.[92]《刘心武自述》

大象出版社 2002 年 10 月第一版

2003 年

111.[93] L'arbre et la forêt [《树与林同在》法译本]

Bleu de Chine 2003 年 1 月第一版

112.[94]《人面鱼》

台湾联经出版事业股份有限公司 2003 年 2 月初版

113.[94] La Cendrillon Du Canal [《护城河边的灰姑娘》法译本]

Bleu de Chine 2003 年 4 月第一版

114.[95]《画梁春尽落香尘》["红学" 专著]

中国广播电视出版社 2003 年 6 月第一版

2003 年 9 月第二次印刷

2004 年 1 月第三次印刷

2005 年 6 月第四次印刷

115.[96]《眼角眉梢》

新华出版社 2003 年 8 月第一版

116.[97]《钟鼓楼》[初中生语文新课标必读]

> 人民日报出版社 2003 年 9 月第一版

117.[98]《天梯之声》

> 中国青年出版社 2003 年 10 月第一版

2004 年

118.[99] Poussiêre et sueur [《尘与汗》法译本]

> Bleu de Chine 2004 年 1 月第一版

119.[100] La mort de Lao SHe [《老舍之死》歌剧剧本法译本]

> Bleu de Chine 2004 年 3 月第一版

120.[101] Poisson à face humaine [《人面鱼》法译本]

> Bleu de Chine 2004 年 3 月第一版

121.《如意》[电影伴读中国文学文库·附电影光盘]

> 中国青年出版社 2004 年 1 月第一版

122.[102]《泼妇鸡丁》

> 台湾二鱼文化事业有限公司 2004 年 4 月第一版

123.[103]《在柳树臂弯里——刘心武随笔》

> 光明日报出版社 2004 年 5 月第一版

124.[104]《材质之美——刘心武城市文化酷评》

> 中国建材工业出版社 2004 年 5 月第一版

125.[105]《站冰——刘心武小说新作集》(自绘插图)

> 人民文学出版社 2004 年 6 月第一版

126.《四牌楼》

> 上海文艺出版社 2004 年 8 月第二版

127.[106]《大家文丛：刘心武》

> 古吴轩出版社 2004 年 8 月第一版

2005 年

128.《钟鼓楼》（中国文库·文学类）

人民文学出版社 2005 年 1 月第一版第一次印刷（平装）

2005 年 1 月第一版第一次印刷（精装）

129.《钟鼓楼》（茅盾文学奖获奖作品全集之一）

人民文学出版社 1985 年 11 月第一版、2005 年 1 月第一次印刷

2005 年 5 月第二次印刷

2005 年 7 月第三次印刷

2006 年 3 月第四次印刷

2008 年 4 月第七次印刷

2009 年 8 月第八次印刷

2010 年 1 月第九次印刷

2011 年 7 月第 15 次印刷

2011 年 9 月第 16 次印刷

2011 年 11 月第 17 次印刷

130.[107]《心灵体操》

时代文艺出版社 2005 年 1 月第一版

131.[108]《刘心武作文示范》

少年儿童出版社 2005 年 1 月第一版

132.[109] La Démone bleue（《蓝夜叉》法译本）

Bleu de Chine 2005 年第一版

133.[110]《红楼望月》

书海出版社 2005 年 4 月第一版

2005 年 6 月第二次印刷

2005 年 7 月第三次印刷

2005 年 8 月第四次印刷

2007 年

153.[121]《四棵树》

二十一世纪出版社 2007 年第一版

154.[122]《用心去游》

上海三联书店 2006 年 12 月第一版

2007 年 1 月第一次印刷

155.[123] Dés de poulet façon mégère [《泼妇鸡丁》法译本]

Bleu de Chine 2007 年 4 月第一版

156.《一切都还来得及》

中国青年出版社 2005 年 5 月第一版

157.[124]《刘心武揭秘〈红楼梦〉》[第三部·黛玉之谜及古本之秘]

东方出版社 2007 年 7 月第一版

至 2007 年 8 月已第四次印刷

2007 年 12 月第六次印刷

2008 年 3 月第七次印刷

158.[125]《刘心武说世道人心》

中国青年出版社 2007 年 7 月第一版

159.[126]《刘心武说寻美感悟》

中国青年出版社 2007 年 7 月第一版

160.[127]《刘心武说草根情怀》

中国青年出版社 2007 年 7 月第一版

161.[128]《长吻蜂》

上海人民出版社 2007 年 8 月第一版

162.《私人照相簿》

华龄出版社 2007 年 10 月第一版

163.《善的教育》

华龄出版社 2007 年 10 月第一版

164.[129]《刘心武揭秘〈红楼梦〉》[第四部·宝钗湘云之谜暨红楼心语]

东方出版社 2007 年 11 月第一版

2008 年 3 月第三次印刷

2008 年

165.[130]《健康携梦人》

中国海关出版社 2008 年 4 月第一版

166.[131]《刘心武小说》

吉林文史出版社 2008 年 5 月第一版

167.[132]《刘心武散文》

吉林文史出版社 2008 年 5 月第一版

2009 年

168.《钟鼓楼》(共和国作家文库)

作家出版社 2009 年 4 月第一版

169.《四牌楼》(共和国作家文库)

作家出版社 2009 年 4 月第一版

170.[133]《人在胡同第几槐》

中国文联出版社 2009 年 6 月第一版

171.《钟鼓楼》(新中国 60 年长篇小说典藏)

人民文学出版社 2009 年 7 月第一版

172.[134]《刘心武短篇小说》

现代教育出版社 2009 年 8 月第一版

173.[135]《刘心武中篇小说》

现代教育出版社 2009 年 8 月第一版

174.[136]《刘心武散文随笔》

现代教育出版社 2009 年 8 月第一版

175.《刘心武揭秘〈红楼梦〉》上卷（共和国作家文库）

作家出版社 2009 年 8 月第一版

176.《刘心武揭秘〈红楼梦〉》下卷（共和国作家文库）

作家出版社 2009 年 8 月第一版

2010 年

177.[137]《人情似纸》

江苏文艺出版社 2010 年 1 月第一版

178.[138]《红楼梦八十回后真故事》

江苏人民出版社 2010 年 3 月第一版

179.[139]《刘心武小说精选集》

[台湾] 新地文化艺术有限公司 2010 年 4 月第一版

180.《红楼望月》

江苏人民出版社 2010 年 6 月第一版

2010 年 9 月第二次印刷

181.[140]《命中相遇——刘心武话里有画》

上海文艺出版社 2010 年 7 月第一版

182.[141]《红楼眼神》

重庆出版社 2010 年 9 月第一版

2011 年

183.[142]《刘心武续红楼梦》

江苏人民出版社 2011 年 3 月第一版

江苏人民出版社 2011 年 4 月第 4 次印刷

184.[143]《红楼梦》（曹雪芹著刘心武续）

江苏人民出版社 2011 年 3 月第一版

185.《刘心武续红楼梦》[繁体字竖排本]

香港明报出版社有限公司 2011 年 3 月初版

186.《刘心武揭秘〈红楼梦〉》精华本（一）

江苏人民出版社 2011 年 4 月第一版

187.《刘心武揭秘〈红楼梦〉》精华本（二）

江苏人民出版社 2011 年 4 月第一版

188.《刘心武揭秘〈红楼梦〉》精华本（三）

江苏人民出版社 2011 年 4 月第一版

189.《刘心武揭秘〈红楼梦〉》精华本（四）

江苏人民出版社 2011 年 4 月第一版

190.《刘心武续红楼梦》[繁体字竖排本]

台湾城邦文化事业股份有限公司商周出版 2011 年 4 月第一版

191.《〈红楼梦〉的真故事》

台湾人类智库数位科技股份有限公司 2011 年 6 月第一版

192.[144]《听刘心武说房子的事儿》

中国商业出版社 2011 年 8 月第一版

193.[145]《刘心武心灵随感》

时代文艺出版社 2011 年 11 月第一版

2012 年

194.[146]《刘心武种四棵树》

漓江出版社 2012 年 1 月第一版

195.[147]《风雪夜归正逢时——我是刘心武》

漓江出版社 2012 年 1 月第一版

196.《献给命运的紫罗兰》

漓江出版社 2012 年 1 月第一版

197.[148]《人生有信》

江苏人民出版社 2012 年 3 月第一版

198.Poussiêre et sueur [《尘与汗》法译本 folio 袖珍版]

Gallimard 2012 年 8 月出版

199.La Cendrillon du canal [《护城河边的灰姑娘》法译本 folio 袖珍版]

Gallimard 2012 年 8 月出版